KB103171

즐톡'

즐톡-우리의 시작

발 행 2024년 03월 01일

저 자 전우호

펴낸이 한건희

펴낸곳 주식회사 부크크

출판사등록 2014.07.15.(제2014-16호)

주 소 서울특별시 금천구 가산디지털 1로 119 SK트윈타워 A동 305호

전 화 1670-8316

이메일 info@bookk.co.kr

ISBN 979-11-410-7392-3

www.bookk.co.kr

우 리 의 시 작

즐톡'

BOOKK

머리말

"사랑"은 인간이 가장 깊게 느끼는 감정 중 하나입니다.
오랫동안 우리는 소개팅이나 단체 미팅과 같은 오프라인 만남을
통해 사랑을 찾아왔습니다.
그러나 디지털 시대가 도래하면서 사랑은 새로운 모습으로
진화해왔습니다.

'즐톡 – 우리의 시작'은 즐톡 애플리케이션을 통해 모집된 수천
개의 사연을 7개월 동안 정리하여 책으로 펴내었습니다.
이 사랑 이야기를 통해 어플을 통한 사랑에 대한 선입견을 돌아보고
새로운 시선을 갖길 기대합니다.

채팅 애플리케이션을 매개체로 한 사랑은 다른 만남과 다를 바
없습니다. 오히려 더욱 순수하고 고귀한 사랑이 있음을 발견할 수
있습니다.
이러한 이야기들은 종종 예상을 뛰어넘고 놀라움을 안겨줍니다.
그 속에는 사랑의 진화와 다양성이 담겨 있습니다.

이 책을 통해 여러분은 어플을 통한 사랑의 다양성을 체험하고,
그 속에서 새로운 시각을 얻을 수 있을 것입니다.
또한, 우리의 열정과 갈망을 발견할 수 있을 것입니다.
현대 사회에서의 사랑의 다양성을 체험하고 그 안에서 우리의
열정을 찾아보시기를 바랍니다.

신*훈님 (5905)의 사연

미래의 배우자를 만나게 된다면 후광이 비치고 머리에 종이 울린다는 이야기를 들어보셨나요? 2014년 5월 19일! 저에게도 그런 날이 찾아왔습니다. '청순'이라는 단어가 참 잘 어울리는 사람을 만나 2년의 교제 끝에 결실을 맺을 수 있었어요. 장남 장녀로서 각자 집안의 기둥 역할을 하고 있던 터라 마냥 쉬운 결정은 아니었습니다. 하지만 지금 이 사람을 놓치면 평생을 후회하며 살 것 같다는 생각에 뒤돌아보지 않고 결혼을 추진했고, 그 덕에 지금 제 옆에는 사랑스러운 두 아이가 새근새근 잠들어 있네요! ^^ 어느새 저도 벌써 7년 차 유부남이 되었습니다. 그동안 단 한 번의 다툼 없이 행복하게 살고 있어요!

얼마 전, 첫째 아이가 "아빠는 엄마가 좋아, 내가 좋아?"라고 물어보더라고요. 어떤 대답이 아이의 교육에 더 좋은 영향을 줄 수 있을지 순간적으로 엄청난 고민을 했지만, 꾸밈없이 저의 진심을 전하는 것이 아내에게도 아이에게도 좋을 것이라는 생각에 정말 솔직한 대답을 내놓았습니다. 엄마가 최고라고요.

아내의 희생이 없었더라면 아이도 만날 수 없었을 테니, 맞는 말 아닌가요?! 저의 대답을 듣자마자 아내와 아이가 동시에 꺄르르 웃더라고요. 그리고 그런 두 사람의 모습을 보며 저 역시 미소를 지어 보였어요. 아내와 저를 반반씩 꼭 닮은 아이들의 얼굴을 볼 때면, 아내를 처음 만났던 그날처럼 참 설렙니다.

저에게 이런 행복과 설렘을 선사해준 아내, 그리고 즐톡에게 감사하다는 말씀을 꼭 전하고 싶어요.

사랑으로 행해진 일은
언제나 선악을 초월한다.

-프레드리히 니체

That which is done out of love always takes place beyond good and evil.
-Friedrich Nietzsche

김*규님 (7670)의 사연

2014년 8월, 우연히 만난 동갑내기 친구가 이토록 특별한 존재가 될 거라고는 아무도 예상하지 못했을 거예요. 처음 만난 순간부터 어색함 따윈 전혀 없이 마치 오랜 친구를 만난 듯 편안했던 그날이 여전히 또렷하게 기억납니다. 그날은 무더위가 극심했던 토요일이었어요. 보고 싶은 영화가 있는데 같이 볼 친구가 없다는 이야기에 호기심을 갖고 집을 나섰죠. 극장 앞에서 아내의 얼굴을 처음 보았을 때 정말 후회했어요. 조금만 더 꾸미고 나올걸…하고요. 그러다 영화가 시작된 이후 아내 쪽을 힐끔힐끔 쳐다봤지만, 아내는 눈도 깜빡이지 않고 모든 장면에 집중하더라고요!

나중에 들어보니 아내는 정말 영화 메이트를 찾는 거였대요. (저는… 진심이었는데…) 그런 아내와 몇 달간 친구로 지내며 정말 많은 영화를 봤어요. 아내의 취향은 항상 스릴러였지만, 딱 한 번 로맨틱코미디 영화를 보던 날! 떨리는 마음으로 고백했죠.

"10년 뒤에도, 20년 뒤에도 같이 영화 볼래…?" 하고요.

지금 생각해도 유치한 고백이었지만, 아내는 웃으며 고개를 끄덕여 주었습니다. 이후 1년 정도 알콩달콩한 연애를 하다 결혼에 골인했고, 세상에서 가장 사랑스러운 딸아이와 함께 단란한 가정을 이룰 수 있었습니다. 종종 즐톡에서 만난 저희를 부정적인 시선으로 바라보는 사람들도 있어요. 하지만 인연은 노력해야 얻을 수 있는 것이고, 타이밍이 맞아야 이어갈 수 있는 거잖아요?

그 타이밍을 잡아준 것이 즐톡일 뿐, 저희의 만남이 가볍다고는 결코 생각하지 않아요. 우리 가족도, 즐톡도 영원히 행복했으면 좋겠습니다!

99

사랑 받고 싶다면 사랑하라,
그리고 사랑스럽게 행동하라.

-벤자민 프랭클린

If you would be loved, love and be lovable.
-Benjamin Franklin

"

서*수님 (6557)의 사연

2018년의 여름날, 부산의 어느 바다가 보이는 카페에서 처음 만났어요. 조급한 마음에 숨을 헐떡이며 카페 2층으로 뛰어올라갔죠. 오랜 시간 꽃단장을 하다 보니 약속 시간보다 조금 늦게 도착했거든요. 첫 만남이었지만, 창가에 기대앉아 환하게 반기는 얼굴을 한눈에 알아볼 수 있었습니다.

사실… 큰 키와 넓은 어깨를 보자마자 첫눈에 반했던 것 같아요. 게다가 달달한 것을 좋아한다고 말했던 것을 기억하고 초코라떼를 미리 주문해 두었더라고요! 정말 센스 있지 않나요? 저희는 그렇게 그날 바로 연인이 되었어요. 저희는 성격도, 성향도 정말 다른 사람들이에요. 2년이 조금 넘는 연애 기간 동안 다툰 날만 세어도 300일이 넘어갈 만큼요. 서로 다른 환경에서 몇십 년 동안 달리 살아온 두 사람이 어떠한 공통점도 없이 즐톡이라는 매개체로 우연히 만났으니 당연한 이야기이지만요 여느 날처럼 사소한 일로 얼굴을 붉혀가며 다투던 중, 결혼하기 싫으면 헤어지자는 저의 통보와도 같은 프로포즈에 남편은 저를 꼬옥 안아주었습니다. 그렇게 뜨거운 여름에 만난 저희는 2년 뒤 추운 겨울에 결혼식을 올렸어요.

얼마 전에는 결혼 3주년이었는데요! 어느새 서로를 정말 많이 닮아 있는 우리를 발견했어요. 축구에는 관심도 없었던 제가 새벽에 눈을 떠 남편과 함께 해외 축구를 챙겨 보기도 하고, 술에는 젬병이었던 남편은 저를 만난 후 와인부터 위스키까지 애주가가 되어있더라고요. 앞으로 5년, 10년 후의 우리는 얼마나 서로를 닮아 있을까요? 우연같이 만나 운명처럼 사랑할 수 있도록, 평생의 반려자를 만나게 해준 즐톡에게 감사의 인사를 전합니다.

진정한 사랑은 모든 것을 끄집어내요.
어느새 매일 거울을 끄집어내 보고 있죠.

-제니퍼 애니스톤

True love brings up everything.
you're allowing a mirror to be held up to you daily.
-Jennifer Aniston

원*라님 (0970)의 사연

신랑을 처음 만난 날을 아직도 기억해요. 2014년 2월 16일이었습니다. 그날은 저희가 처음 만난 날이면서도 사귀기 시작한 날이기도 하거든요! 당시 저는 신장이 좋지 않아 혈액 투석 중이었어요. 그래서 쉽게 피곤해지는 것은 물론이고, 심한 경우에는 구역질을 하거나 아예 밥을 먹지 않는 날도 많았습니다.

그럼에도 불구하고 그런 부정적인 모습을 크게 신경 쓰지 않는 모습에 호감이 점점 커졌어요. 힘들게 일한 날에도 피곤한 내색 없이 거의 매일 저녁 제가 있는 곳으로 찾아와 데이트를 했었죠. 게다가 저는 일주일에 세 번씩 야간 투석을 받았는데요, 투석이 끝나면 밤 11시가 넘어가는데도 항상 변함없이 저를 데리러 오기도 했어요.

신랑의 그런 모습들은 제가 결혼을 결심할 충분한 이유가 되어주었습니다. 그래서 큰 고민 없이 자연스럽게 상견례를 추진했어요. 신랑이 나이가 조금 있다 보니 시댁에서도 결혼을 서두르기를 바라셨거든요. 어느새 벌써 결혼 9년 차가 됐다니… 시간 참 빠르죠?

그동안 저는 신장 이식 수술도 받고! 더욱 건강하고 사이좋은 부부로 살아가고 있습니다. 저는 신랑을 만난 일이 제 인생에서 가장 큰 행운이라고 생각해요. 누구보다도 저를 많이 사랑해 주고 물심양면 챙겨주는 신랑에게 항상 고마운 마음 뿐이죠. 다시는 이런 사람을 만날 수 없을 것이라는 생각으로 저 역시 좋은 신랑에 걸맞은 좋은 아내가 되기 위해 노력 중입니다.

무엇보다 이렇게 좋은 사람을 만날 수 있는 기회를 주신 즐톡 어플리케이션 개발자분들께도 정말 감사드려요!

강렬한 사랑은 판단하지 않는다.
주기만 할 뿐이다.

-마더 테레사

Intense love does not measure, it just gives.
-Mother Teresa

정*홍님 (3503)의 사연

사실 처음 즐톡을 찾게 된 이유는 외로움 때문이었어요. 여자 친구도 마찬가지였다고 하더라고요. 그렇지만 외로움을 달랠 수 있다면 누구라도 상관없다는 식의 가벼운 생각만은 아니었어요. 가치관이 닮은 사람을 만나 같은 방향을 바라보며 살아가고 싶다는 바람이었죠. 그리고 즐톡을 통해 그런 사람을 만나 알콩달콩 행복한 연애를 이어가고 있습니다.

여자 친구와 처음 대화를 나누었던 순간부터 저와 비슷한 사람이라는 생각이 들었어요. MBTI와 혈액형은 물론이고 남매 중 둘째로 자라 온 것도, 배울 점이 많은 사람이 이상형인 것도요. 무엇보다 삶을 바라보고 영위하는 방식 자체가 닮아 있었어요. 게다가 취미로 캠핑과 클라이밍을 즐긴다는 것도 똑같아서 공감대가 정말 많았죠. 공감할 수 있는 것이 많다는 것은 곧 공유할 수 있는 것이 많다는 것이잖아요?! 퇴근 후에 시간이 맞을 때마다 저희는 클라이밍을 하러 갔어요. 날씨가 좋은 날에는 날씨가 좋으니까 야외 암벽장으로 떠났고, 날씨가 좋지 않은 날에는 날씨가 좋지 않다는 핑계로 실내 암벽장을 찾았죠. 그리고 주말에는 캠핑을 하러 갔고요. 그렇게 많은 시간을 공유하는 동안 저희도 모르게 점차 사랑이 싹텄던 것 같아요.

도플갱어? 소울 메이트? 아니면 후천적 쌍둥이…? 어떤 단어로 저희 사이를 형용해야 할지 아직 어렵네요. 외로움 때문에 시작되었던 만남이 이토록 소중한 인연으로 발전하게 될 거라고는 사실 예상하지 못했거든요.

이렇게 소중한 사람을 만날 수 있게 해준 즐톡이 더욱 번창할 수 있기를 항상 응원하겠습니다. 정말 진심으로 감사합니다!

사랑은 눈으로 보지 않고
마음으로 보는 거지.

-윌리엄 셰익스피어

Love looks not with the eyes, but with the mind.
-William Shakespeare

윤*영님 (6789)의 사연

새근새근 잠든 모습이 가장 귀엽고 사랑스러운 한 여자를 소개합니다. 제가 그녀를 처음 만난 것은 2020년 8월이었습니다. 더운 여름 날씨에 지쳐 리모컨과 휴대폰을 번갈아 누르기만 하던 중 우연히 즐톡에 들어갔어요.

그녀와의 대화는 첫 마디부터 특별했어요. 대뜸 "에어컨 고칠 수 있으신가요…?" 라고 묻더라고요. 저는 에어컨을 고치는 방법은 모르지만, 시원한 맥주는 한 잔 함께 할 수 있다고 대답했죠. 그러자 제 대답이 마음에 들었다며 맥주 데이트에 응해준 그녀와 어느 선술집에서 만나기로 했습니다! 선술집의 은근한 조명이 비추던 예쁜 갈색 머리와 갈색 눈동자가 아직도 기억에 남아요. 제가 무슨 이야기를 꺼내도 빵! 터지며 웃음 짓는 눈매가 정말 사랑스럽더라고요. 이후 몇 번의 맥주 데이트 후 저희의 진지한 만남이 시작되었어요.

때론 많이 다툴 때도 있었고, 몇 번은 심지어 헤어질 뻔했던 적도 있지만 그때마다 자존심 부리지 않고 저를 잡아주고 사랑해준 사람입니다. 집이 가깝다 보니 일주일에 서너 번씩 서로의 집에 초대하곤 했는데요, 어쩌다 보니 여름마다 고장나는 에어컨 덕에 자연스럽게 저희 집에서 동거가 시작되었어요! ^^

곧 결혼할 예정이지만 아직 경제적인 여건이 충분히 준비되지 않아서, 지금은 결혼자금을 열심히 모으고 있어요. ^^ 가진 것 없고 부족하기만 한 저를 변함없이 예쁘고 사랑스러운 눈으로 바라보는 그녀에게 가장 고맙다는 말을 전하고 싶고요! 이런 사람을 만날 수 있는 기회를 준 즐톡, 그리고 은근슬쩍 그녀를 집으로 초대할 수 있도록 여름마다 고장 나준(?) 에어컨에게도 고맙습니다.

저는 더 열심히 벌고 모아서 그녀의 새근새근 잠든 모습을 평생 지켜줄 수 있도록 노력할게요!

두 사람이 만나는 것은 두 가지 화학 물질이
접촉하는 것과 같다. 어떤 반응이 일어나면
둘 다 완전히 바뀌게 된다.

-칼 융

The meeting of two personalities is like the contact of two chemical substances:
if there is any reaction, both are transformed.
-Carl Jung

임*별님 (2610)의 사연

"이 사람이 아니면 정말 아니야, 이 사람 없으면 못살 것 같아." 이 느끼한 대사를 제가 뱉을 줄 누가 알았을까요? 저는 재작년 즐톡에서 만난 사람과 결혼했습니다! 처음에는 그저 목소리가 크고 장난끼 많은 사람이라는 생각 뿐이었어요. 그래서 단순한 호기심인 줄로만 알았습니다. 바라보고 있으면 묘하게 웃기거든요.

저는 이 사람에게 스며들었다는 표현이 정말 딱 맞는 것 같아요. 때로는 엉뚱해서 사차원 같다가, 어떨 때는 세상에서 가장 진지한 모습의 반전 매력에 푹 빠져든 거죠. 경상도에서 태어난 그녀는 조금(많이…?) 직설적이에요. 충청도 출신인 제가 애써 빙빙 돌려 표현하면 핵심을 딱! 짚어버립니다. 그럴 때마다 카리스마가 장난이 아니에요.

어느 날에는 식당 김치에서 벌레가 나왔거든요? 찝찝했지만 데이트를 망칠 수 없으니 소심하게 웃고 넘어가려는데, 손을 번쩍 들어 종업원을 부르더라고요. 혹시나 카리스마 가득한 그녀가 식당에서 소리를 치며 화내지는 않을까 순간 걱정했는데, 센스 있게 상황을 알린 뒤 귀엽게 서비스까지 받아내는 모습에 반해버렸습니다.

강단 있고 주관이 뚜렷한 멋진 사람이니 사랑에 빠지지 않을 이유가 없잖아요. 그런 멋진 여자와 종신 계약을 맺은 지 벌써 1주년이 되었습니다. 즐톡이 아니었다면 길가다 스치지도 못했을 사람과 인연을 닿았다는 점에 매일 매일이 감사하고 신기할 따름입니다.

충청도 남자와 경상도 여자가 만나면 잘 산다는 말을 참 많이 들었으니, 옛말을 믿고 저희도 잘 살아볼게요!

"

열정은 세상을 돌게 한다. 사랑은 세상을
좀 더 안전한 곳으로 만들 뿐이다.

-아이스티

Passion makes the world go round. Love just makes it a safer place.
-ice T

배*현님 (0055)의 사연

2018년에 즐톡에서 만나서 결혼까지 가게 된 부부입니다. 좋은 사람을 놓치고 싶지 않다는 조급함에 혼인신고부터 했으니 말 다했죠?!

짙은 쌍커풀에 동굴 목소리가 매력적인 남편은 첫만남부터 연애를 제안했어요. 근사한 레스토랑에서 밥을 먹고, 간단히 칵테일을 한 잔 하자며 분위기 좋은 재즈바로 저를 데려가더니 앉자 마자 냅다 고백하더라고요. 술 마시고 하는 고백은 별로라면서, 맨정신일 때 얘기하고 싶다고요. 그 말이 참 로맨틱하게 들렸어요. 그렇지만 사실 저는 한 사람을 알기 위해서는 적어도 사계절은 보아야 한다고 믿는 사람이라… 첫만남에 받은 고백은 당황스럽기도 했어요.

그래서 부끄럽다는 핑계를 대며 일단 한 잔하고 대답하겠다고 말했죠. 그리고는 내일 대답하겠다고 대답을 미루었고 또 그 다음에는 일주일 뒤에 대답하겠다고 했어요. 아무래도 어플을 통해 만난 사람이니 가벼운 사람인 것은 아닐까 의심도 들었거든요. 하지만 그런 저의 조심스럽고 신중한 모습까지 예쁘게 봐주며 꼬박 3개월을 기다려주는 모습에 감동했고, 고백을 받아들이기로 결정했습니다.

나중에 들은 이야기이지만, 남편 역시 어플 만남에 대한 부정적인 인식이 있었던 사람인지라, 망설이는 모습이 오히려 좋았대요. 저도 남편도 즐톡을 포함한 모든 만남 어플에 대해 의구심과 편견이 있었는데요…! 결국 깨달은 것은 결국 살아가는 새로운 방식일 뿐이라는 거예요. 자연스러운 만남만 추구했다면, 혹은 소개팅만 고집했다면 절대 저희는 만날 수 없었던 사람들이잖아요! 저는 즐톡을 통해 남편을 만난 것을 절대 후회하지 않아요.

이 글을 읽는 많은 분들도 선입견을 깨고 새로운 인연에 도전해 보셨으면 좋겠어요!

사랑을 두려워하는 것은 삶을 두려워하는 것과
같으며, 삶을 두려워 하는 사람은
이미 세 부분이 죽은 상태다.

-버트런드 러셀

To fear love is to fear life,
and those who fear life are already three parts dead.
-Bertrand Russell

성*현님 (3967)의 사연

2015년 어느 날, 매일 반복되는 일상의 지루함을 깨고자 새로운 것을 찾다가 시작한 즐톡이 이렇게 평생의 인연을 찾아 줄지 정말로 몰랐습니다. 설렘 반 기대 반, 새벽 1시에 시작된 채팅으로 밤을 지새우며 많은 이야기를 나눈 우리! 실제로는 어떤 모습일까 상상만 하다 서로에 대한 궁금증이 가장 극대화되었을 때, 누가 먼저란 것도 없이 함께 용기를 내어 첫 만남을 가졌어요.

그날은 쑥스러움과 멋쩍은 웃음만이 가득했던 것 같습니다. 그래도 즐톡으로 많은 정보와 생각을 미리 나누었다 보니, 일반적인 소개팅보다 어색함은 덜했던 것 같아요. 이후 점점 커져만 가는 애정으로 하루가 멀다하고 먼 거리를 오가며 사랑을 키워갔습니다. 그러다 더이상은 안 되겠다는 생각에 이제는 평생을 함께 하게 되었네요!

가볍게만 생각하고 그저 스쳐가는 인연으로 끝낼 수도 있었겠지만, 또 한편으로 수많은 사람 중에 이렇게 운명같이 만났다는 게 어쩌면 로또 1등보다 더 큰 기적이라는 생각이 들었습니다. 아직도 처음 채팅을 나누던 날의 캡처 이미지가 휴대폰에 남아있어요.

다투는 날마다 그때의 풋풋한 초심을 다시 찾아 읽으면, 순간의 미운 마음도 사르르 녹곤 합니다. 마침 여기저기 자랑하고 싶던 차에 즐톡에서 좋은 이벤트를 열어 주시기에 감사한 마음을 담아 몇 자 적어봅니다.

즐톡! 저희의 오작교가 되어주어 진심으로 감사합니다! 그리고 앞으로도 저희와 같이 소중하고도 특별한 인연이 즐톡을 통하여 많이 생겼으면 좋겠어요!

얼마나 많이 주느냐보다
얼마나 많은 사랑을 담느냐가 중요하다.

-마더 테레사

It's not how much we give, but how much love we put into giving.
-Mother Teresa

##

홍*기님 (7592)의 사연

3년전 즐톡으로 가볍게 시작해 인연을 만들어 결혼까지 골인 성공! 제 반쪽을 찾게 해준 즐톡에게 감사한 마음을 꾹꾹 눌러 담아 사연을 적어 보냅니다!

저는 사실 연상에 대한 거부감이 있어요. 가장 이해할 수 없는 노래가 이승기의 '내 여자라니까', 샤이니의 '누난 너무 예뻐'였을 정도로요… 연년생 누나와 자라와서인지, 저보다 나이가 많은 여자는 살면서 단 한 번도 여자로 느껴본 적이 없어요. 그런 제 삶에 저보다 6살이나 많은 연상의 누나가 들어오더니 제 마음까지 빼앗아 가버렸네요. 그 사람을 처음 만났을 때, 상대방도 제 나이를 듣고 깜짝 놀랐어요. 제가 사실 한 노안 하거든요… 동갑이거나 한 살 정도 어릴 것으로 예상했을 텐데 6살이나 어리다고 하니 놀랄 만도 하죠. 여자친구 역시도 연하는 남자로 느껴본 적 없다는 이야기를 했기에, 저희는 정말 사심 없이 동네 누나, 동네 동생으로 종종 연락을 주고받았어요. 집이 가까우니 가끔 시간이 맞을 때마다 저녁 식사를 함께했죠.

그러던 중 제가 독감에 걸린 날이 있었어요. 열이 너무 많이 올라 정신이 거의 없는 상태로 쓰러지다시피 잠들었는데, 다음 날 아침에 확인해보니 전복죽을 사다가 문 앞에 두고 갔더라고요. 아프지 말라는 내용의 귀여운 쪽지와 함께요. 아플 때 챙겨주는 여자라니… 섬세함과 다정함 앞에서 6살 나이 차이 따위는 하나도 중요하지 않았어요.

그렇게 시작된 연애는 1년 만에 결실을 맺어 벌써 2년차 연상연하 부부가 되었습니다. 싸운 날이면 잘못한 쪽에서 전복죽을 끓여 두는 것이 저희 부부의 암묵적인 규칙이에요. 평생 이렇게 알콩달콩 티격태격 전복죽을 끓이며 예쁘게 늙어가면 좋겠어요.

한 방향으로 깊이 사랑하면
다른 모든 방향으로의 사랑도 깊어진다.

-안네 소피 스웨친

To love deeply in one direction makes us more loving in all others.
-Anne Sophie Swetchine

김*하님 (0104)의 사연

재작년 겨울쯤 이었던 것 같아요. "그냥 편하게 맥주 한 잔 하실 분"이라는 제목의 글이 저희 만남의 첫 단추가 되었죠 알고 보니 아내와 저는 고작 2km 떨어진 곳에 살고 있었어요. 완전 코앞에 사는 거나 마찬가지죠! 대화를 하다 보니 같은 중고등학교를 졸업했다는 걸 알고 깜짝 놀랐어요. 세상 정말 좁더라고요.

심지어 주말에는 컴퓨터 앞에 앉아 게임을 하느라 하루를 다 써버리는 것도 똑같았어요. 취미가 같은 사람을 만나는 것이 로망이었는데 드디어 만난 거죠! 그렇게 시간 가는 줄 모르고 대화를 나누며 자연스럽게 연인이 되었습니다.

그런 저희에게도 우여곡절은 있었어요. 제가 갑자기 제주도 발령을 받아버렸거든요. 잘 만나던 커플이라 큰 문제가 되지 않을 것이라 예상했지만, 장거리 연애는 생각보다 많은 노력이 요하는 일이더라고요. 사소한 서운함도 얼굴을 못 보니 어느새 눈덩이처럼 커져 갈등의 싹이 되기도 했으니까요. 그래서 한 달에 두번씩은 긴급 연차를 사용하고 여자친구를 만나러 갔어요. 오해가 있다면 대면하여 허심탄회하게 이야기를 나누기도 하고, 헤어짐의 위기가 있을 때에는 엉엉 울면서 붙잡기도 했죠. (부끄럽네요) 뜻하지 않게 동네 연인(?)에서 롱디가 되어버린 탓에 이런 저런 위기도 많았고 험난한 과정이 있었지만, 이제는 와이프가 된 여자친구의 배려와 사랑 덕분에 결혼까지 골인하게 되었습니다.

지금은 다시 원래 있던 곳으로 발령을 받아 얼굴을 맞대고 오손도손 살아가고 있어요. 그럼 이만, 내년에는 고대하던 아기 천사가 찾아오지 않을까 기대하는 마음으로 글을 마칩니다!

”

미숙한 사랑은 '당신이 필요해서
당신을 사랑한다'고 하지만 성숙한 사랑은
'사랑하니까 당신이 필요하다'고 한다.

-윈스턴 처칠

Immature love says, I love you because I need you, mature love says,
I need you because I love you.
-Winston Churchill

박*호님 (1483)의 사연

아내와의 첫 만남은 2018년도 4월이었어요. 즐톡 채팅으로 만나게 되었습니다. 처음에는 외국인이라는 점에서 호기심과 흥미가 생겼었어요. 살아온 환경이나 언어, 생각이 달라 대화가 잘 통하지 않으면 어떡할까 걱정도 앞섰습니다. 그러나 괜한 걱정이었던 것 같아요. 그날 이후 지속해서 만남이 이어졌고, 가까워졌습니다. 만난 지 4개월쯤 되었을 때, 아내가 원래 지내던 전세집에 문제가 생겨 잠시 저희 집에 머무르기로 했다가 자연스럽게 동거가 시작되었습니다. 동거 기간은 1년 반 정도였던 것 같아요. 퇴근 후 커플 잠옷을 맞추어 입고 쇼파에 누워 넷플릭스를 보던 날들이 매일매일 꿈만 같았습니다. 그러나 문제는 2019년이었어요. 아내가 잠시 귀국을 하였었는데, 때마침 코로나가 터져버린 거죠. 코로나로 인해 출국도 입국도 제한이 되다 보니 약 2년간 만날 수가 없었어요. 어쩔 수 없이 맞은 생이별에 저희가 할 수 있는 것이라고는 영상통화가 전부였습니다. 그러다 코로나가 주춤해질 시기에 큰 마음을 먹고 아내의 나라에 방문하였고, 가족들과 즐거운 시간을 보냈습니다. 지금 돌이켜보면 그날이 상견례가 아니었을까 싶어요. 그렇게 몇 차례씩 서로의 나라를 오가며 장거리 연애를 하다 2023년 3월에 혼인신고를 했고 두 달 뒤 결혼식을 앞두고 있습니다.

즐톡에 모이는 사연들 중 저희만큼 스펙타클한 사연이 또 있을까요? 어렵게 얻은 사람인 만큼, 특별한 인연을 소중하게 여기며 행복하게 잘 살도록 하겠습니다. 다음 번에는 행복한 결혼 생활에 대한 사연으로 다시 찾아올게요. 아니면 저와 아내를 똑 닮은 아이가 생겼다는 소식으로 찾아 뵙고 싶어요.

더 많이 사랑하는 것 외에
다른 사랑의 치료약은 없다.

-헨리 데이비드 소로우

김*규님 (3330)의 사연

'한여름밤의 꿀'이라는 노래 아세요? 저는 그 노래만 들으면 아직도 설레요. 마치 저희 이야기 같거든요 저희는 재작년 여름 휴가에서 만났어요. 무려 강원도에서요! 친구와 무계획으로 휴가를 떠났는데, 막상 둘이 있으니 심심하더라고요. 그래서 즐톡에서 술친구를 구했죠. 당시 여자친구도 친구와 둘이서 여행을 왔었는데 저희와 같은 마음이었다고 해요. 같은 마음인 네 명의 남녀가 모이면 일사천리로 일이 진행되는 거 아시죠?! 서로의 숙소 가운데에 위치한 횟집을 빠르게 예약하고 두 사람을 기다렸어요. 처음에는 정말 단순히 하루를 재미있게 보낼 술친구를 찾는 마음이었는데, 술을 마시다 보니 자연스레 호감이 생기더라고요. 여자친구는 덧니가 매력 있는 편이거든요? 웃을 때 마다 살짝씩 보이는 그 덧니가 너무 예쁘고 귀여워서 여자친구를 계속 웃겨줬어요. 어떤 말과 행동을 해야 더 환하게 웃을지 계속 고민하게 되더라고요. 다음 날도, 그 다음날도요. 그렇게 여자친구만의 개그맨이 된 저는 졸졸졸 따라다니다시피 구애했고 다음 달에 결혼식을 앞두고 있습니다. 결혼식 입장곡으로 '한여름밤의 꿀'을 BGM으로 틀 계획이에요.

저 만약 심장이 터져버리면 어떡하죠?!!! 앞으로는 평생 여자친구를 웃게 하는데 제 남은 생을 다 쓰고 싶어요. 부족한 저를 받아준 마음에 보답하고 싶으니까요.

어쩌면 하루로 끝나버릴 수도 있었던 가벼운 만남을 가벼이 여기지 않고 소중하게 생각해준 여자친구에게 정말 고맙고, 이런 인연을 만들어 주신 즐톡에게도 감사할 따름입니다!

서로를 용서하는 것이야말로
가장 아름다운 사랑의 모습이다.

−존 셰필드

박*호님 (6757)의 사연

중고 거래로 연애를 시작한다는 이야기는 듣기만 했었는데, 그게 제 이야기가 될 줄은 정말 상상도 못했어요. 어쩌다 에어팟 한쪽을 잃어버려서, 한쪽만 판매하는 분을 찾아 헤매던 중 이 친구를 만나게 되었어요. 집이 가깝기에 직거래를 하기로 약속했죠. 그날은 눈이 많이 오는 날이었는데 저 멀리서 목도리를 칭칭 감고 뒤뚱뒤뚱 걸어오는 여자에게 반해버렸습니다. 첫 눈에 반한 사람이 나타나면 묻지도 따지지도 않고 돌격할 수 있을 줄 알았는데 아니더라고요. 말도 제대로 못걸고 뚝딱이며 계좌번호를 물어봤습니다. 그리고 혹시 물건에 하자가 있으면 연락하겠다고 전화번호를 물어보았죠. 의심스러운 눈초리를 받긴 했지만… 후회하지는 않아요!

결론적으로 지금은 4년 넘게 예쁜 사랑을 이어가고 있거든요. 처음부터 반했다고 말하면 수상할까 우려되어 친구로 시작된 관계였기에 저는 이 친구의 지나간 연애 스토리를 모두 들어버렸어요. 어찌되었건 지난 연애를 되풀이하지 않을 수 있는 힌트도 얻게 되었으니 오히려 잘된 일일지도 모르겠네요!

제가 사랑하고 있는 이 친구는 얼굴도 예쁘고 마음도 착한, 세상에 둘도 없는 사람입니다. 앞으로도 영원히 같이 할 것 같고요. 곧 결혼식도 준비 중이랍니다. 결혼 후 청첩장이나 웨딩 사진으로 인증을 하면 더 좋겠지만, 얼른 이 사연을 들려드리고 싶어 글을 씁니다. 좋은 소식을 꼭 다시 전달 드리겠습니다!

좋은 어플을 통해서 좋은 사람을 만나게 되어 정말 정말 감사드립니다. 앞으로도 계속 행복하겠습니다!

"

중요한 것은 사랑을 받는 것이 아니라
사랑을 하는 것이었다.

－서머셋 모음

김*일님 (5448)의 사연

싸우면서 정든다는 말은 딱 저희를 두고 하는 이야기인 것 같아요. 처음 알게 된 이후 3개월 정도 친구 사이로 지내며 차츰차츰 연인 사이로 발전하게 되었습니다. 매일 티격태격 싸우면서도 항상 껌딱지처럼 붙어있었어요. 친구인지 연인인지 모르게 간질간질한 감정을 나누는 시기를 썸탄다고들 하잖아요. 저희는 썸이 참 길었어요. (1년 정도면 긴 것 맞죠?!) 그러다 고백을 결심한 날에 그녀가 좋아하는 성시경 콘서트 티켓팅에 도전했습니다. 콘서트날에 고백하고 싶어서요! 제 모든 지인들에게 티켓팅을 부탁하고 겨우겨우 두 자리를 얻어낼 수 있었습니다. 그녀가 가장 좋아하는 곡인 '너의 모든 순간'이라는 노래가 나올 때 준비한 반지와 함께 고백했어요. 그리고 부끄럽지만 그날 아기가 생겼습니다. 그 이후로는 순차적으로 상견례도 진행하고, 많은 사람들의 축복을 받으며 결혼식도 올렸어요. 그런데 문제는 결혼식 한달 전에 일어났죠. 오토바이 사고로 다리를 다쳐 병원에 입원을 했었거든요… 사실 결혼식도 보조기를 차고 가까스로 진행했어요. 그래서 결혼식 날에도 저는 다시 병원으로, 와이프는 처가집으로 가게 되면서 신혼여행이 물거품이 되었습니다.

신혼여행을 가지 못한 것은 저희 부부가 항상 가지고 있는 아쉬움이에요. 하지만 즐톡에서 좋은 이벤트를 열어주셔서 두근대는 마음으로 응모하기로 했습니다!

만약 당첨이 된다면 신혼의 설렘을 안고 아직도 가보지 못한 신혼여행을 떠나고 싶어요.

인생에 있어서
최고의 행복은
우리가 사랑받고 있음을
확신 하는 것이다.

-빅터위고

이*기님 (1813)의 사연

저희는 사실 즐톡에서 처음 만난 게 아니라 그 이전에 잠깐 연락을 주고받았던 사이입니다. 2015년도에 연말 모임으로 알게 되어 핑크 빛 사이가 되려고 노력을 했으나, 아무래도 연말이라 일이 바쁘고 이직까지 겹치며 자연스럽게 거리가 멀어졌습니다 그러다 어느 비 오는 날 새벽이었어요. 할 일도 없고 외로운 마음이 들어 즐톡을 켜고 번개 상대나 대화 상대를 찾으려 둘러보았죠. 마침 싱숭생숭이라는 닉네임의 (아직도 기억나네요!) 여성과 대화를 하기 시작했습니다. 그런데 대화가 너무 잘 통하더라고요. 서로의 인적사항에 대해선 서로 암묵적으로 아무 말도 하지 않은 채 대화를 나누던 중, 신촌에서 밥 한번 먹자는 약속을 잡게 되었습니다. 우연찮게 둘 다 괜찮은 날이 있었거든요. 설레는 마음으로 신촌역을 갔고! 익숙한 얼굴의 동생을 마주쳤죠. 여긴 어쩐일이냐며 반갑게 인사한 뒤 즐톡의 여성분을 기다리는데, 아무리 시간이 지나도 오지 않는거예요. 쪽지로는 서로 도착했다고 말하는데 보이지 않아서 '아 낚였네'라고 생각했죠. 그런데 그 동생을 슬쩍 보니 익숙한 인터페이스의 어플을 켜 두고 있는 것을 발견했습니다. 대화했던 그녀가 그 동생이었던 거죠! 그렇게 간단한 식사와 술을 함께하고 연락을 이어가다 고백하고 사귀기 시작했습니다.

센스 없는 성격 탓에 100일 기념 꽃다발 하나 못 줘서 울렸던 기억부터 (지금은 선물도 많이 해요!) 200일 기념 제주도 여행에서는 초보 운전으로 진땀을 주륵주륵흘렸던 기억까지 선명합니다. 1주년 기념 여행으로 가평에 갔을 때는 폭설에 발이 묶여 오히려 로맨틱했던 추억도 있고요.

그로부터 1년정도 후 2018년 3월 24일, 용산에서 결혼을 올린 저희는 지금은 4살아들의 엄마 아빠로 행복하게 살아가고 있어요.

우리는 오로지 사랑을 함으로써
사랑을 배울 수 있다.

-아이리스 머독

이*훈님 (1517)의 사연

2014년 즈음, 취업을 하게 되면서 독립을 했어요. 친구도 없이 혈혈단신으로 타지에서 홀로 지내는 시간은 꽤나 힘들었습니다. 의지할 사람 하나 없는 이곳에서 저는 언제나 이방인이었거든요. 그러던 중 고향에서 친구가 놀러와 외로워하는 저에게 즐톡이라는 어플리케이션을 소개해줬어요.

긴가민가한 마음으로 회원가입을 하고 차근차근 둘러보았습니다. 그런데 어떤 여성분께서 저와 비슷한 상황에 처해있더라고요. 외딴 섬에서 같은 감정을 공유하는 사람이 있다는 것만으로도 위로가 된다는 기분을 그때 처음 느꼈습니다. 이야기를 나누다 보니 이 사람이 점점 더 궁금해지더라고요. 어떤 사람인지, 어떤 것을 좋아하고 싫어하는지, 어떤 생각을 하고 있는지 모두요. 그래서 조금씩 조금씩 즐톡이 아닌 문자로, 문자가 아닌 전화로, 전화가 아닌 대면으로 점점 다가가기 시작했어요. 그렇게 만남을 한 차례, 두 차례 이어갈수록 점점 더 제 인연이라는 확신이 생겨 연인 사이로 발전시켰죠. 타지에서 외롭게 일하는 저희는 존재만으로도 서로에게 큰 힘이 되어주었습니다. 그러다 소중한 첫째 아이가 찾아와 백년가약을 맺게 되었고 지금은 벌써 슬하에 세 딸을 두고 있습니다.

저와 아내를 정말 반반 씩 닮아 더 사랑스러운 세 딸을요! 이토록 소중하고 예쁜 가족들을 만날 수 있도록 저희를 이어준 즐톡 어플에 진심으로 감사드립니다. 더욱 번창하셔서 저희처럼 소중한 인연의 커플들을 많이 많이 매칭해주세요. 감사합니다!

"

사랑을 하다가 사랑을 잃는 편이
한번도 사랑하지 않는 것 보다 낫다.

-테니스

박*영님 (0699)의 사연

벌써 오래된 일이네요. 딸아이를 혼자 키우는 저에게 남편 혹은 아이 아빠, 그리고 연인은 꿈만 같은 존재였어요. 뭐든지 혼자 해내야 하는 것은 저의 숙명처럼 느껴질 때가 있었죠. 그렇게 항상 똑같이 반복되기만 하는 일상에 지쳐, 즐톡에서 채팅을 했었어요. 그러다 지금의 남편을 만나게 되었습니다. 남편은 이런 제 상황을 모두 알고 있었지만 개의치 않아 했죠. 오히려 그동안 혼자서 많이 힘들었겠다며 위로와 공감으로 저에게 감동을 선사했습니다. 저에게는 마치 키다리 아저씨 같은 사람이었어요. 전화번호를 교환하고 서로 연락을 주고받기를 6개월째가 되었을 때, 남편을 만나러 제주도로 떠났습니다. 그런데 남편이 저를 보자마자 "육지에 가지마" 라고 하더라고요. 첫 눈에 반했다면서요. 저도 참 무슨 용기였는지⋯ 이 사람과는 평생 믿고 갈 수 있겠다는 확신이 들었어요. 그렇게 저의 제주도 생활은 시작되었고 지금도 현재 진행형으로 잘 살고 있습니다.

남편은 사랑이 많은 사람이에요. 제 아이를 마치 본인 아이처럼 사랑해주었거든요. 아이가 필요하다는 것은 무엇이든 사다 주고, 학비는 물론이고 사교육비까지 모두 지원해주었어요. 저를 꼭 빼닮아 사랑할 수 밖에 없다나 뭐라나 덕분에 아이 역시 한쪽의 부재를 전혀 모르고 자랐습니다. 그 점이 가장 감사해요. 사랑을 받는 것도 사랑을 주는 것도 능력인 이 시대에 제 남편은 최고의 능력남인 것 같아요! 이런 능력남을 만날 수 있도록 길을 열어준 즐톡 어플리케이션 기획자, 개발자 여러분께 진심으로 감사합니다.

이런 좋은 어플이 많이 생겨났으면 좋겠습니다. 저도 주변에 홍보 많이 할게요!

"

사랑은 상실이며, 단념이다. 사랑은 모든 것을
남에게 주어버렸을 때 가장 중요하다.

ㅡk.f부코

우*길님 (9858)의 사연

작년 5월, 외국인이라는 말만 듣고 호기심에 만나 데이트를 하게 되었습니다. 어눌한 말투로 느껴질 수도 있지만 그 속에 담긴 의미는 분명하고 명확한 사람이었죠. 진지한 만남이 아닌 호기심에서 시작된 만남을 이어가던 중 연락이 끊긴 시점이 있었어요. 나중에 알고 보니 변기에 휴대폰을 빠뜨려 수리를 맡기느라 연락을 못한 것이었지만, 당시에는 이유 모를 불안감을 느꼈어요. 혹시 다른 사람과 데이트 중인 것은 아닐까? 하는 그런 불안감이요. 이틀 정도 지나 연락이 닿았고, 얼굴을 보자마자 저 말고도 데이트하는 사람이 또 있는지 단도직입적으로 물어보았어요. 그러자 저밖에 없다고 하더라고요. 그래서 그냥 고백했어요. 당신이 나 말고 다른 사람과 데이트하는 것을 상상만해도 싫다고요. 그러니 나랑만 데이트하자고 고백했습니다. 그러자 저의 이 이상한 고백을 웃으며 받아주었어요.

그리고 두 달 정도 만나고 있던 시점에 갑작스럽게 찾아온 임신 소식에 빠르게 결혼을 준비했습니다. 그래서 결혼식은 겨울인데 생일은 여름인 아들이 탄생했어요. 지금도 옆에서 밥을 먹고 있는 아내와 아들의 얼굴을 보면 이게 인연인가 싶고, 누구보다도 행복한 나날을 보내고 있습니다.

우연히 시작된 인연이 이렇게 결실을 맺게 되었다는 것이 여전히 실감 나지 않아요. 앞으로는 가장으로서! 저를 믿고 있는 아내와 아들의 신임을 잃지 않도록 열심히 일하고 벌어서 든든한 둥지가 되어주고자 합니다. 사랑합니다, 우리 가족! 파이팅!

"

연애란 자신이라는 고독한 지옥에서 탈출해야겠다는
욕망의 억제가 불가능한 욕구이다.

- 보들레르

성*원님 (7595)의 사연

연애는 외로울 때 하는 것이 아니라고 배웠어요. 건강한 개인과 개인이 만나 이루는 것이 건강한 연인이라고 생각합니다. 2019년은 저의 몸과 마음이 가장 건강한 해였다고 생각해요. 그래서 그때 좋은 사람을 만나 연애를 하고자 마음을 먹었었죠. 그런데 웬걸 주변에 아무도 없는 거예요. 괜찮은 사람은 모두 이미 연애중이거나 결혼을 했고, 소개팅을 부탁하기에는 무언가 민망했거든요. 그렇지만 포기하지 않고 직접 인연을 찾아 나서기로 마음먹었습니다. 바로 즐톡에서요! 즐톡에서 알게 되어 연락하며 지내게 된 그 사람은 정말 착해요! 이상한 사람을 만나지 않으려고 사전에 채팅으로 엄청나게 검열(?)했거든요. 가치관이 이상한 사람은 아닌지, 소위 말하는 여미새는 아닌지 등등을 꼼꼼하게 확인하려고 노력했어요. 그러다 대화가 잘 통해 오프라인에서 약속을 잡고 만난 그는 잘생긴 얼굴에 매력적인 보조개가 눈에 띄는 사람이었어요. 게다가 키까지 큰 바람에 자꾸 시선이 갔죠. 처음에는 제가 많이 좋아했던 것 같아요. 표현도 많이 했고요. 심지어는 흡연자도 아닌데 흡연 구역까지 따라갔어요. 1분이라도 더 같이 있고 싶었거든요. 처음 만난 날은 조금 어색했지만, 그날 이후로 매일매일 전화를 걸었어요. "오빠 뭐해요?", "오빠 저 보러 안와요?", "오빠 밥 사주세요!" 지금 생각해보면 정말 온갖 플러팅의 향연이었죠. 그는 저를 당돌하다고 표현했어요. 처음에는 조금 당황스러워했던 것 같은데, 점점 열린 마음으로 저를 대하는 것이 느껴지더라고요.

지금은 감정이 점차 무르익게 되면서 결혼을 약속한 사이가 되었습니다. 내년에 결혼하려고요!

즐톡 덕분에 행복한 시간을 보내고 있어요! 진심으로 감사합니다.

상대가 눈앞에서 없어지면 보통 사랑은
점점 멀어지고, 큰 사랑은 점점 커져간다.
바람이 불면 촛불은 꺼지고
화재는 불길이 더 센 것처럼

-라로슈푸코

김*영님 (3661)의 사연

나이가 들수록 점점 대인관계가 좁아지고 있다는 건 모든 사회인들이 느끼고 있을 거예요. 저 역시도 학창 시절 친구들이나 회사 동료들, 혹은 가족과의 약속 자리 외에는 회사-집-헬스장-회사-집-헬스장을 전전하고 있었습니다. 새로운 만남 없이 항상 '거기서 거기' 라는 생각이 들 때마다 아쉬운 마음을 갖고 있었죠. 그래서 큰 돈을 내고 독서 모임을 나가기도 하고 러닝 동호회에 참여하기도 했죠. 하지만 그 인연이 오래 이어지기는 쉽지 않더라고요. 하나의 공통 관심사가 있다고 하더라도, 너무 인원이 많다 보니 한 사람을 깊이 알기에는 적합하지 않은 것 같았어요. 그래서 즐톡을 찾게 되었죠.

즐톡에서 대화를 나누며 알게 된 그분과는 물 흐르듯 자연스럽게 카톡 대화로 이어져 보이스톡으로 통화를 나누기도 했는데, 알고 보니 굉장히 근처에 살고 있는 분이었습니다. 오며 가며 마주쳤을 수도 있겠다 싶을 만큼 가까웠죠. 저희 동네에는 항상 길게 줄 서있는 유명 고깃집이 있는데요! 그분께서는 꼭 그 가게에 가보고 싶었으나 함께 갈 사람이 없어 그림의 떡처럼 바라만 보았다고 하시더라고요. 그 이야기를 듣자 마자 사실 저도 항상 궁금하였었는데 지나치기만 했던 곳이기도 했다며 호들갑을 떨었어요. 그분과 만나서 이야기를 나누고 싶었기에 이 기회를 놓치고 싶지 않았습니다. 내친김에 그 집에서 밥 한번 먹자는 저의 제안에 흔쾌히 승낙해주었고, 이후 커플로 발전되었네요!

지금은 1년째 잘 만나고 있고 내년에는 결혼을 예정하고 있습니다.

사랑의 비극은 죽음이나 이별이 아니다.
두 사람 중 어느 한 사람이 이미 상대방을
사랑하지 않게 된 날이 왔을 때이다.

-윌리엄 섬머싯 몸

성*현님 (3948)의 사연

저에게는 한 가지 철칙이 있습니다. 연애가 끝난 다음 해에는 무조건 솔로인 기간을 6개월 이상 가져야 한다는 것이었죠. 하지만 그 철칙이 저의 발목을 잡을 줄은 꿈에도 몰랐습니다. 그 기간 동안 연애 세포가 아예 죽어버렸거든요. 게다가 20대 때는 저의 외모나 유머에 관심을 가져 주시는 여성분들이 종종 계셨는데, 서른이 넘어가니 아무도 저에게 관심을 가져주지 않았어요… 그렇게 강제 휴식기를 5년쯤 겪던 중, 새로운 인연을 만나고 싶다는 저의 푸념에 지친 친구가 즐톡을 알려주었습니다. 그곳에는 혹시 내 인연도 있지 않을까 하는 설레는 마음을 안고 채팅을 시작했어요.

그곳에 있는 많은 분들 중 가장 끌리는 인사말을 작성해두신 몇 분께 쪽지를 보내 연락을 주고받았는데, 어떤 한 분과 유난히 대화가 잘 통하더라고요!!! 마치 원래 알고 지낸 사람처럼 편안한 느낌이 강하게 들었습니다. 원래 사람 마음이란 앞으면 눕고 싶고 누우면 자고 싶은 거잖아요? ^^ 대화가 잘 통하니, 이 사람을 더 알아보고 싶다는 욕심이 들더라고요. 그래서 만나서 이야기를 하기로 하고 약속 장소에 나갔습니다. 첫 만남이니 간단히 저녁 식사만 함께하고 이야기를 나누다 헤어지려 했는데, 너무 잘 통하다 보니 자연스럽게 술도 한잔 곁들이게 되고 결국에는 3차까지 가버렸지 뭐예요!

같이 있는 게 즐겁더라고요. 나중에 들은 이야기이로는 여친도 원래 술을 즐기지 않는데, 저랑 대화하는 게 재미있어서 더 이야기하고 싶은 마음에 술을 마시자고 한 거였더라고요. 천생연분처럼 대화가 잘 통하던 저희는 올해 신랑 신부가 된답니다!

인생의 동반자를 만나게 해준 즐톡! 정말 감사합니다.

인간이 사랑을 시작했을 때
비로소 삶이 시작된 것이다.

-G스퀴데리

황*한님 (4305)의 사연

언어의 장벽을 뛰어넘은 국제 커플입니다. 더듬더듬 한국어를 구사하던 여자친구는 이제 저와 한국 말로 다툴 만큼 유창한 실력을 자랑해요. 저도 여자친구와 더 잘 소통하기 위해 영어 회화 학원에 다니고 있어요. 예전에는 영어에 자신감이 하나도 없어서 외국인이 길에서 말을 걸기만 해도 당황스러워 식은 땀이 흘렀었는데, 이런 제가 외국인 여자친구를 만나 영어를 배우고 있다니! 서로 도움을 주며 건강하게 성장하는 커플인 것 같아서 정말 뿌듯하고 좋습니다. 저번 달에는 여자친구의 나라로 출장을 가게 되어, 겸사겸사 여행을 하게 되었어요. 여자친구의 어린 시절이 고스란히 묻어 있는 거리를 함께 걷고, 단골 식당에 방문해 인사를 나누었습니다. 그리고 미래의 장인어른과 장모님도 뵈었고요! 정말 즐거운 시간이었지만 난처한 순간도 있었어요. 다름 아닌, 어떻게 만나게 된 사이냐 물으실 때였습니다. 즐톡을 소개하기에는 이야기가 길어질 듯하여 어쩔 수 없이 소개팅으로 만나게 되었다고 말했거든요. 아무래도 어른들이 들으시기에는 낯설고 당황스러운 만남 수단일테니까요. 얼른 세월이 흘러 어플 만남에 대한 인식이 개선되어 저희의 만남도 손가락질 받지 않는 세상이 왔으면 좋겠습니다. 저희는 결코 나쁜 경로로 만난 것이 아닌데, 남들의 시선이 신경 쓰일 때도 분명 있거든요. 어쩌면, 평범한 경로로 만난 커플들보다 더 건강하고 생산적인 만남이 있을 수도 있는 곳이라고 생각합니다. 저희처럼요!

그러니 주변에 즐톡을 통해 만난 커플이 있더라도 편견을 가지지 않고 바라봐주시기를 부탁드려요!

"

사랑을 방해하는 것은 아무 것도 없다
사랑은 아무리 이를 막아도 모든 것을 속으로
뚫고 들어간다.
사랑은 영원히 그 날개를 퍼득이고 있다.

-마티아스 크라우디우스

김*왕님 (8305)의 사연

2016년 6월 중 더위가 시작되던 날, 회사 근처에서 첫만남을 가졌습니다. 막상 약속한 날이 되니 컨디션도 별로인데다 '이렇게까지 해서 연애를 해야 하나' 라는 생각이 들어 무거운 마음으로 도착했어요. 어떤 사람이 나올지 전혀 예상할 수 없다 보니, 아까운 시간만 날리는 것은 아닐까 걱정이 앞섰거든요. 일반적인 소개팅과는 느낌이 많이 달랐던 것 같아요. 그런데 창가 쪽에 앉아있는 그를 한눈에 알아본 것은 물론이거니와 '저 사람이다! 이제 됐다!' 란 생각이 강하게 들었어요. 결혼 한 사람들이 흔히 말하는 '나는 저 사람과 결혼할 것 같다!' 라는 느낌이 들었던 거죠. 그렇게 시작된 연애로 행복한 하루하루를 보내던 어느 날, 건강검진을 받았더니 정밀 검사가 필요하다는 연락을 받았어요. 그리고 MRI촬영을 위해 대학병원에 입원해야 했습니다. 연애 초기라 이런 상황을 말하기는 다소 조심스러웠지만 혹시 같이 가줄 수 있냐 물었더니 흔쾌히 수락하더라고요. 병원에 도착해 입원 수속을 밟던 중 그 사람에게 보호자 목걸이를 걸어주는데 그 상황이 묘하게 뭉클했네요. 그날 밤에 혼자 병원에 남겨져 우울한 마음에 "내가 아픈 사람이면 어떡하냐"고 했더니 "아프면 병원에서 치료받으면 되지" 라며 담백하게 돌아온 대답이 너무나 고맙고 힘이 되었어요. 내가 어떤 상황이더라도 조건 없이 나를 지켜줄 사람이라는 믿음이 그때 생겼던 것 같아요. 검사 전 두려운 마음에 심장이 두근거렸었는데, 덕분에 평온하게 검사를 마칠 수 있었습니다. 검사 결과는 다행히 괜찮았고, 우리는 다음해 3월에 결혼식을 올렸어요.

그리고 제 평생 생각도 해 본적 없던 예쁜 딸까지 낳아 삶의 행복을 느끼며 살고 있습니다.

사랑은 그 왕국을 무기 없이 지배한다.

-허버트

"

이*란님 (0040)의 사연

벌써 6년 전이네요. 2017년이었습니다. 심심함을 참지 못하고 카카오톡 친구 목록을 올렸다 내렸다를 반복하며 누군가 만날 사람을 찾고 있었어요. 그런데 저만 그런 가요?

심심하니 나와서 커피 한 잔하자고 말할 친구가 이렇게도 귀하다니요. 혼자서라도 외출을 해볼까 고민하다 즐톡에 글을 올렸어요. 재미있을 것 같아서요. 그러다 근처에 있다는 사람과 카페에서 만나 이야기를 나누었는데 그 사람이 말하는 이상형이 저인 것 같은 거예요! 외모적인 이상형을 말해도 왠지 저를 묘사하는 것 같고, 성격적인 이상형을 얘기할 때도 저를 표현하는 단어들이 가득했어요. 그런 생각을 하자 괜시리 저 또한 호감이 생겨 몇 번의 만남을 더 가졌습니다. 저희는 주로 저녁 식사를 함께했어요. 메뉴는 보통 제가 먹고 싶은 걸로요. 자꾸만 제가 메뉴를 선정하는 것 같은 기분에, 하루는 네가 원하는 메뉴를 말하라고 했더니 자기는 먹고 싶은 게 딱히 없대요. 제가 좋아하면 자기도 좋다고요. 그 말에 심쿵한 나머지 얼굴이 빨개졌던 것 같아요. 제가 곱창을 좋아해서 곱창을 자주 먹으러 갔었는데, 알고 보니 곱창을 원래 못 먹는 사람이라는 이야기를 듣고 미안하면서도 감동적이었어요. 싫어하는 음식인데도 제가 먹고 싶다고 하니 함께해준 거잖아요. 그래서 네가 뭘 좋아하는지, 싫어하는지 자세하게 알려달라고 했습니다. 앞으로도 계속 맛있는 거 먹으러 가자고요.

그렇게 얼렁뚱땅 사귀게 되어 지금은 결혼하여 행복하게 살고 있어요. 서로 좋아하는 음식을 마음껏 먹으면서요.

어려운 것은 사랑하는 기술이 아니라
사랑을 받는 기술이다.

-알퐁스 도데

##

박*경님 (5139)의 사연

"드라이브 하고 싶다!" 10년 전 여자친구가 올린 글이에요.

그 글에 무려 30명이나 되는 남자들이 쪽지를 보냈다고 하더라고요. 30명 중 나이도 똑같고 말투나 예의가 마음에 들었던 저와 약속을 잡았대요. 약속을 잡고 만나기 전 쪽지를 주고 받았는데, 다이제라는 초코 과자를 좋아한다는 것을 우연히 알게 되었어요. 그래서 조금이라도 호감을 얻고 싶다는 생각에 편의점에서 다이제를 두 개 사들고 갔죠. 여자친구는 그 다이제에서 저의 다정함을 확인했다고 하네요. 여자친구는 바다가 보고 싶다고 했어요. 그래서 저희 지역의 근교 해안 도로를 달리기 시작했습니다. 바다 바람에 휘날리는 여자친구의 머리카락이 정말 예뻤어요. 그날 바다에서 사진을 많이 찍었었는데 그 사진은 인화하여 서로의 지갑에 넣고 다니고 있습니다. 첫 만남 때 사진을 찍은 건 지금 생각해도 정말 잘한 일 같아요. 서로 마음이 멀어지려 하거나 권태로울 때 그 사진을 보면 괜히 아련한 마음이 들면서 설렘도 돌아오곤 하거든요. 그리고 심야 영화를 보러 영화관에 갔는데 제가 정말 좋아하는 인생 영화가 재개봉 했더라고요! 깜짝 놀라 말했더니 여자친구가 그럼 그 영화를 함께 보자고 말해주었습니다. 레이첼 맥아담스가 나오는 어바웃 타임이라는 영화였는데요! 언젠가 사랑하는 사람이 생기면 꼭 함께 보고 싶은 영화였는데, 처음 만난 여자와 스크린으로 보게 되다니 기분이 정말 묘했어요. 어바웃 타임은 시간 여행에 대한 영화라는 걸 알고 계신가요? 저는 아마 시간을 돌려 그날로 돌아가더라도 여자친구에게 쪽지를 보내고, 다이제를 사고, 바다로 드라이브를 떠날 것 같아요.

이토록 사랑스러운 사람과 연애를 할 수 있다는 것은 엄청난 행복이니까요.

"

사랑은 있거나 없다.
가벼운 사랑은 아예 사랑이 아니다.

-토니 모리슨

김*경님 (2092)의 사연

즐톡은 저에게 너무 고마운 곳이에요. 저를 누구보다 행복한 사람으로 만들어주었으니까요. 즐톡을 떠올리면 8년 전 그날이 선명하게 기억에 떠오릅니다. 외근을 나왔다가 잠시 시간이 비었을 때 무료함을 달래러 즐톡에 접속했었죠. 8키로 거리의 동갑 친구에게 쪽지를 보냈고 대화가 시작되었어요. 돌이켜 생각해보니, 제가 그날 그곳으로 외근을 가지 않았더라면 즐톡에 접속했더라도 이 친구를 만날 수 없었겠네요. 역시 인연은 타이밍인가 봐요. 각자의 이유로 서로 힘든 시기를 겪고 있던 저희는 서로의 대나무숲이 되어주었습니다. 그날은 여자친구가 휴무인 덕에 시간이 여유롭다며 제 고민을 많이 들어주었죠. 그런데 대화를 나누다 보니, 위로와 격려가 아니더라도 기본적인 대화 코드가 너무 잘 맞았어요. 그래서 세 시간 정도 채팅으로 대화를 나누다 저녁에 만나 얼굴을 보기로 약속을 잡았습니다. 그날은 추운 겨울이어서 회를 좋아하는 여자친구를 위해 방어를 먹으러 갔어요. 그리고 제가 좋아하는 따뜻한 사케를 주문했죠. 만나서 이야기를 나누어 보니 채팅보다 두배, 아니 열 배는 더 잘 맞다는 생각이 들더라고요. 그래서 다음날 또 만나고 그 다음날도 만났어요. 자꾸 만나다 보니 어느새 서로 죽고 못사는 연인이 되어있네요. 사실 여자친구는 그날 처음 사케를 마셔봤대요. 따뜻한 사케는 더욱이 처음이라고 했어요. 여자친구의 표현을 빌리자면 "사케가 내 스타일이어서 네가 내 스타일로 보이는 건지, 네가 내 스타일이어서 사케가 내 스타일로 느껴지는 건지 헷갈려" 라고 하더라고요. 이렇게 설레고 센스 있는 사케 후기를 남기는 여자가 이 사람 말고 또 있을까요? 오늘도 저는 사케를 한 병 사들고 퇴근합니다.

여자친구에게 선물해야겠어요.

66

사랑은 무엇보다도 자신을 위한 선물이다.

-장 아누이

이*림님 (5788)의 사연

저희는 돌싱 커플이에요. 요즘 이혼은 정말 흔한 거라며 절대 흠이 아니라는 응원을 주변에서 정말 많이 들어요. 하지만 스스로 극복하기 전까지는 당사자들이 느끼는 좌절감과 슬픔이 상쇄되지는 않는다고 생각합니다. 남들에게는 말못할 속사정을 혼자만의 시간 속에서 감내하기도 하니까요. 즐톡에서 만난 그분이 저와 같은 상처를 가지고 있다는 것 만으로도 큰 의지가 되었어요. 저도 그분의 상처에 공감할 수 있었죠. 남들에게는 꺼내 보이지 못할 각자의 상처를 서로 어루만지며 가까워졌네요. 지금은 가족끼리 서로 왕래하기도 하며 너무나 예쁘게 잘 지내고 있습니다.

저는 종종 "만약에 이렇다면~" 하는 류의 상상을 자주하거든요? 예를 들자면, 최근에는 나는솔로 돌싱 특집을 재미있게 시청했어요. 만약에 우리가 저기에 나갔다면 어떨까? 하는 상상과 함께요. 그러다 문득 우리가 만약 즐톡에서 만나지 않았다면 어땠을까? 하는 상상을 하다가 괜히 슬퍼지더라고요. 지금의 저는 이별의 상처를 모두 극복하고 새로운 사랑으로 행복한데, 만약 그 상대가 이 사람이 아니었다면 이정도까지 행복하지는 못할 것 같아서요. 저의 미운 모습까지 사랑해주고 보듬어주는 사람 덕분에 오늘도 따뜻한 하루입니다.

즐톡 덕에 생긴 좋은 추억의 한 페이지를 기록으로 남겨봅니다. 그리고 앞으로 저와 이 사람이 펼쳐 나갈 나머지 페이지들도 예쁘고 따뜻하게 간직할 수 있기를 바랍니다. 즐톡이 채워갈 다음 장들도 응원할게요. 감사합니다.

"

사랑의 첫번째 의미는
상대방에 귀 기울이는 것이다.

-폴 틸리히

박*샘님 (3106)의 사연

공주와 해피해피의 사연을 남겨봅니다! 공주는 저의 닉네임, 해피해피는 남자친구의 닉네임이에요. 편하게 커피 한 잔 마실 사람을 찾다가 쪽지를 주고 받게 되었습니다. 저는 조금 조심스러운 마음이었는데, 단도직입적으로 만나자고 하더라고요. 일단 쪽지로 대화를 나누어 보았을 때 딱히 불편한 구석이 있지는 않은 터라 용기를 내어 만나게 되었습니다. 커피 한 잔을 하며 이런 저런 이야기를 나누었고, 우려했던 것보다 훨씬 더 편한 분위기로 대화가 이어졌어요. 그렇게 자리를 정리하고 헤어지려는 찰나에 번호를 물어보더라고요. 좋은 사람이라는 느낌이 들어 선뜻 번호를 찍어주었습니다. 다음 날부터는 카톡으로 연락을 이어갔는데 생각보다 더 재미있더라고요. 그렇게 몇 번 더 데이트를 했어요. 놀이동산도 갔고요. 놀이동산 갔을 때는 정말 설렜어요! 혹시 흔들다리 효과라는 것 아세요? 흔들리는 다리 위에서 만난 이성에 대한 호감도가 안정된 다리 위에서 만났을 때 보다 더 상승한다는 심리학 이론이래요. 사람은 불안과 공포를 느끼게 되면 호흡과 심장 박동이 함께 빨라지는데 이것이 사랑할 때 느끼는 두근거림과 같아 뇌가 착각하게 되는 것이죠. 롤러코스터 위에서 눈이 마주쳤을 때는 놀이기구가 짜릿해서인지 아니면 사랑의 두근거림인지 정말 헷갈렸어요. 그렇게 간질거리는 감정으로 한 달 정도 지내며, 저도 모르는 새에 마음이 많이 두근거리고 있다는 것을 알았어요. 휴대폰에 이름이 뜨면 심장이 두근두근했거든요. 감정이라는 것이 생긴거죠. 그런 마음을 눈치챘는지, 아니면 같은 마음이었는지 오빠가 고백을 했어요. 그렇게 지내온 게 벌써 1년이 지났네요.

지금은 같은 지붕 아래 살며 행복하게 지내고 있습니다. 즐톡에서 만난 사람과 이렇게 오래갈 줄은 전혀 몰랐지만 인연이었나 봐요.

"

사랑하는 것은 천국을 살짝 엿보는 것이다.

－카렌선드

서*수님 (6557)의 사연

사실 저는 와이프와의 첫 만남 때 나이를 속였어요. 조금이라도 어려 보이고 싶었거든요. 그런데 대화를 나누다 보니, 와이프도 나이를 속였던 거예요! 예상치 못한 반전에 저희는 그냥 마음껏 웃어버렸습니다. 그래도 생각보다 빠르게 진실(?)을 밝힌 저희는 나이에 대한 편견 없이 서로를 바라보기로 약속했어요. 만나기 전 즐톡으로 서로의 사진을 교환하였었는데, 와이프는 사진과 정말 똑같았어요. 사진이 너무 예뻐서 실물을 보고 실망하면 어쩌나 걱정했는데, 의미 없는 걱정이었던 거죠. 정말 동안이기 때문에, 아마 나이를 밝히지 않았어도 끝까지 의심하지 못했을 거예요. 그렇게 몇 번의 데이트 후 사귀어 보자고 말을 꺼냈지만 와이프는 생각해본다고만 말을 하더라고요. 그래서 기다렸죠. 와이프의 마음이 열릴 때까지요. 그런데 알고 보니 와이프가 나이를 더 속였다는 사실을 알게 되었어요! 즐톡에서는 30대 중반이라고 했고, 첫 만남에는 30대 후반이라고 말했는데 사실은 40대 초반이라고 하더군요. 그래도 이미 좋아하게 되어버린 걸 어쩌겠어요. 나이는 숫자에 불과하다는 생각으로 연애를 시작했습니다. 2년 정도 연애를 이어가다 청혼을 했는데 아직 마음의 준비가 되지 않았다며 거절의 대답을 받았고, 이후 자연스럽게 멀어질 때쯤 결혼해도 좋겠다는 연락을 받았습니다. 지금은 3년 가까이 결혼 생활을 이어가고 있네요. 둘 다 40대 중반이라 아이를 낳을 생각은 없고요! 자연스레 임신하게 되면 몰라도, 의학의 힘을 빌리고 싶지는 않다는 것이 저희 부부의 생각입니다. 아이가 없어도 이미 충분히 행복하니 아쉬움은 없습니다.

즐톡이 이어준 저희 부부, 행복하게 잘 살겠습니다. 평생의 인연을 만들어 주셔서 감사합니다!

사랑에 대한 백번의 연설도,
단 한번의 사랑의 행동에 미치지 못한다.

-어린왕자

전*지님 (8141)의 사연

한 여름 밤, 작은 카페에서 처음 만났어요. 산뜻한 커피 향과 잔잔한 음악이 흘러, 더운 날씨에도 불구하고 이야기를 나누기 좋은 곳이었죠. 여자친구는 차분한 성격이 매력이었어요. 제가 도착했을 때 책을 읽고 있던 모습이 참 잘 어울렸습니다. 반면 저는 활기차고 밝은 에너지를 가진 사람이에요. 눈에 띄게 활동적이고 때로는 즉흥적인 면도 있었지만, 여자친구는 그런 저의 모습을 예쁘게 봐주었죠. 저희는 서로의 다른 매력에 끌려 조금씩 가까워졌어요.

여자친구는 저의 에너지에 반하고, 저는 여자친구의 안정적인 모습에 끌렸습니다. 서로의 차이점은 부족함이 아니라 보완이 되는 것처럼 느껴졌거든요. 저희의 데이트는 항상 새로운 경험이었어요. 어느 날은 함께 자전거를 타고 돌아다니며 풍경을 감상했고, 어느 날은 서로의 관심사를 공유하면서 밤 늦게까지 대화를 나눴습니다. 저희는 그렇게 서로의 세계를 넓혀가면서 함께 성장했어요. 물론 때로는 서로의 다른 점 때문에 의견이 충돌하기도 했죠. 하지만 그러한 과정에서 서로의 공간과 시간을 이해하고 존중하는 법을 배우기도 했습니다. 작은 갈등이 있을 때마다 저희는 항상 서로에게 다가가고, 더욱 단단해졌어요. 지금은 짧다면 짧고 길다면 긴 연애 기간을 지나 행복한 결혼 라이프를 보내고 있습니다. 앞으로도 저희에게는 좋은 순간도 힘든 순간도 모두 있겠죠? 함께한 모든 순간을 소중한 이야기로 남겨, 할아버지 할머니가 되었을 때 웃으며 떠올릴 수 있도록 현재를 열심히 살아볼게요.

이렇게 소중한 사람을 저에게 연결해주신 즐톡 관계자 여러분께 감사드립니다.

"

연애할 운명에 놓인 사람은
누구든 한눈에 사랑하게 된다.

-윌리엄 셰익스피어

김*규님 (7670)의 사연

채팅 어플에 대한 부정적 인식을 타파하는데 조금이라도 도움이 되고 싶다는 마음으로 저희의 러브스토리를 들려드리려고 합니다.

이를 통해 채팅 어플에는 정상인(?)도 많다는 것을 알아주셨으면 해요. 나아가, 건전한 사랑의 큐피트 어플인 즐톡이 대한민국 1위 기업이 되길 기원합니다! 저희는 즐톡으로 통해 만난 부부입니다. 첫 데이트는 드라이브였어요. 부천에서 반포 한강공원까지 달렸어요. 한강이 보이는 카페에 앉아 커피를 한 잔 마셨는데 정말 춥더라고요. 그도 그럴 것이 그날은 한파 주의보였거든요. 어쩔 수 없이 다음을 기약하며 드라이브는 끝이 났죠. 그러다 2주 뒤쯤 연락이 닿아 또 한 번 드라이브를 떠나고, 자동차 극장에서 야식도 먹으며 조금씩 가까워졌습니다. 세번째 만남에는 맛있는 저녁 식사와 함께 술을 한잔 기울였고, 노래방에 가서 와자지껄 신나게 놀았던 기억이 있네요. 그날은 너무 재미있어서 묵은 스트레스까지 다 풀렸던 것 같아요. 서로에게 긍정적인 에너지를 준다는 것을 깨달은 저희는 머지않아 사랑을 약속한 사이가 되었습니다. 저에게도 이런 기회가 있구나 싶더라고요. 그래서 더 노력했어요. 후회를 남기지 않는 연애를 하고 싶다는 생각으로 매일매일 노력하다 보니, 점점 더 깊은 감정과 신뢰가 생기기 시작했던 것 같아요. 그래서 그때는 결혼을 약속했죠. 사실 요즘 먹고 살기가 힘들다 보니 식은 아직 올리지 못하였습니다. 하지만 혼인신고는 했어요! 왜냐하면 아이가 생겼거든요. ^^ 아이가 생겼을 때는 정말 꿈만 같았죠. 이러한 저의 꿈 같은 생활은 현재진행형입니다. 그리고 미래지향적이고요.

즐톡 덕분에 인생의 동반자를 만났습니다. 감사합니다. 이 글을 읽는 모두 즐톡에서 인연을 찾아보아도 좋겠어요. 그리고 모두 행복하시길 바랍니다!

사랑받기 위해 사랑 하는 것이 인간이다. 그러나
사랑하기 위하여 사랑하는 것은 천사에 가깝다.

-A.D 라마트린

서*경님 (7898)의 사연

안녕하세요! 저에게 사랑을 선물해준 즐톡에서 러브 스토리를 모집한다는 소식을 들고 냉큼 달려왔습니다. 솔직히 저는 이런 어플에서의 만남은 모두 불순한 의도가 기저에 깔려 있을 것이라는 부정적인 생각이 가득했었어요. 진실한 사랑을 찾는 건 불가능하다는 생각이었죠. 저 같은 사람들이 아직 세상에는 많은 것 같긴 합니다. 그런데 3년전쯤, 친한 친구가 즐톡 어플을 소개해주었고, 장난 반 호기심 반의 마음으로 미삼아 시작했습니다. 그리곤 '에이, 뭐 이렇게 해서 좋은 사람이 연결되겠어?' 라는 반신반의한 마음으로 쪽지를 한두 번 보내 보았습니다. 그런데 답장 온 쪽지 중 하나의 쪽지가 유독 끌리더라고요. 그렇게 계속 주고받기를 반복하던 중 용기를 내어 한번 만나자고 했죠! 그러자 상대방도 흔쾌히 보자고 하더라고요. 만나서 술 한잔 마시며 얘기를 나누다 보니 '아 어플로도 이렇게 좋은 사람을 만날 수 있구나' 라는 것을 깨달았던 것 같아요. 만약 즐톡이 아니었더라면 그 어떠한 접점도 없는 저희가 연인이 될 일은 아마 평생 없을 것 같습니다. 그래서 더 특별하게 느껴졌고요.

지금은 저에게 가장 소중한 사람인 여친을 만나게 해준 즐톡! 편견 가득했던 저에게 큰 선물을 주었네요. 너무 감사합니다! 앞으로도 저희 같은 커플이 즐톡을 통해서 많이 많이 나오길 바랍니다!

사랑하고 싶은 사람들을 위한 어플, 즐톡을 앞으로도 계속해서 응원하겠습니다!

"

만유인력은 사랑에 빠진
사람을 책임지지 않는다.

–알버트 아인슈타인

> 66

임*기님 (4952)의 사연

저희의 첫 만남은 그닥 아름답지는 않았어요. 대화 중, 저의 말실수로 인해 다투게 되었거든요. 시작이 안 좋았죠. 그런데 자꾸 생각나는 거예요. 그래서 다시 한번 쪽지를 보냈습니다. 진실된 사과를 전하고 싶다고요. 답장을 바라고 보낸 쪽지가 아니었지만 저도 모르게 회신을 기다리게 되더라고요. 그런데 그분에게 답장이 왔고 만나기로 했죠! 물론 사과를 하기 위해서 였지만, 괜스레 묘하게 설레는 마음으로 약속을 잡고 얼굴을 뵙게 되었습니다. 그런데 예상했던 이미지와 다르게 너무 귀여우신 외모 탓에 만나자마자 웃음이 터진 거예요. 웃는 얼굴에 침 못 뱉는다는 옛 말이 정말인지, 미소를 띤 채 대화가 시작되었습니다. 우선 제가 말실수한 부분에 대해 사과를 전했고, 그분은 흔쾌하고 시원하게 사과를 받아 주셨어요. 저희는 잠시 다투었던 기억은 잊기로 약속하고 저녁 식사를 함께했는데요! 의외로 공감대가 정말 많고 코드가 잘 맞더라고요. 다음에도 시간을 보내고 싶다며 연락처를 물었더니 선뜻 알려주시기에 그 다음날 바로 애프터 신청을 했던 것 같아요. 사람을 알아가는데 있어 어디서 어떻게 만나게 되었는지는 전혀 중요하지 않다는 생각으로 교제를 시작했습니다. 지금은 결혼을 전제로 동거 중이에요. 크리스마스 즈음에 결혼식 날짜도 잡아 두었고요. 저는 이 사람과 함께하는 모든 나날이 너무나 행복하고 즐겁습니다.

제2의 삶을 살 수 있도록 기회를 만들어 주신 즐톡 관계자 여러분께 진심으로 감사드립니다. 이 고마움을 어떻게 형용해야 할지 감히 표현하기도 어려워요.

앞으로도 많은 분들이 즐톡에서 저처럼 좋은 사람을 만나 가정을 이루실 수 있기를 바라겠습니다.

99

지혜로운 자는 사랑하고,
그렇지 않은 자들은 탐한다.

-아프라니우스

"

저희는 16년도에 결혼한 7년차 부부입니다. 2014년 여름, 심심함을 참지 못하고 즐톡에 글을 올렸는데 지금의 신랑에게 여러 번 쪽지가 왔었어요. 그런데 나이가 조금 많은 것이 마음에 걸려 받지 않았죠. 그러다 한달 뒤에 다시 글을 올렸을 때 또 쪽지가 오더라고요. '아휴, 한번 만나보자' 라는 생각으로 만나게 되었고 두 달 가량 연락하고 지냈던 것 같아요. 맛있는 것을 먹고, 재미있는 걸 하러가고… 거의 데이트나 진배없었죠! 그러다가 제가 자취를 하게 되면서 반동거를 시작하였어요. 점점 제 자취방에는 신랑의 물건들이 많아지고 추억들이 쌓여갔어요. 그러다 '이 사람이랑 살면 재미있겠다!' 라는 생각을 가지게 되었습니다. 그런데 문제는 저희 부모님의 반대였습니다. 신랑은 결혼을 원했지만, 당시 제가 많이 어렸거든요. 나이 차이도 문제였고 갑작스럽게 결혼을 말하는 것도 당황스러워하셨어요. 아버지는 신랑을 처음 보는 날에 "이상한 놈이면 집에도 못 들어오게 하고 바로 보낸다." 라고 엄포를 놓기도 하셨고요. 신랑은 그런 아버지를 끊임없이 설득했습니다. 몸만 와도 된다면서요. 손에 물 묻히지 않겠다는 뻔한 소리는 지키지 못하겠지만, 행복하게 해주겠다고 약속하더라고요. 저희는 같은 아파트 비로 옆집에 시댁이 살고 있습니다 신혼 초에는 집 비밀번호를 알고 계신다는 것이 자다가 경기를 일으킬 정도로 싫었지만, 지금은 서로 맛있는 반찬을 얻으려 비밀번호를 누르고 엄마~ 하면서 들어갑니다.

저에게는 엄마, 아빠가 두 명씩 있는거죠 즐톡에 대한 시선이 마냥 좋지만은 않은 것을 잘 알지만 저는 너무 감사해요. 제가 그때 지금의 신랑과 연락을 하지 않았더라면 저는 지금 뭘 하고 있을까 궁금하네요.

"

사랑은 무엇보다도
자신을 위한 선물이다.

-장 아누이

##

최*희님 (3571)의 사연

2006년 6월 6일! <060606>이라 기억하기도 좋은 이 날은 저희가 처음 연락을 주고받은 날이에요. 그리고 그날은 제 생일이기도 합니다. 몸이 아파서 집에서 요양을 하고 있던 저는 우연히 접속한 즐톡에서 남편과 첫 대화를 나누게 되었지요. 이런저런 무의미한 대화를 하던 중 생일인데도 아파서 집에만 있던 저를 따뜻하게 위로해 주고 나름의 방법으로 축하까지 해주던 남편의 센스에 자못 놀랐습니다. 온라인에서 만나는 상대라는 이유로 그저 가볍게만 생각했던 제 자신을 반성하면서요. 그러다 2002년 한일월드컵이 개최되었을 적, 같은 장소에서 같은 경기를 보며 응원했다는 얘기에 고무되어 한번 만나보자는 진도까지 나가게 되었습니다. 이후에는 같이 맛집을 찾아다니며 여행도 다니는 좋은 관계가 되었습니다. 연애때부터 지금까지 저희만의 전국 맛집 지도를 조금씩 만들고 있는데, 기회가 된다면 이 맛집 지도도 즐톡에 공유하고 싶어요. 그렇게라도 감사한 마음을 전할 수 있다면요! 사실 연애라는 것이 항상 좋기만 한 건 아니잖아요. 사귀는 동안 말도 많고 탈도 많은 순간에는 '아~ 내 팔자야~ 내가 왜 그때 즐톡에 접속해서…' 라는 후회도 잠시 했지만, 지금은 중학생 아들 하나, 초등학생 딸 하나를 둔 건강한 가족으로 행복하게 살고 있습니다.

가끔 아이들이 저희의 연애 스토리를 들려달라는 이야기를 하더라고요. 그럴 때는 아이들에게 당당하게 이야기를 들려줍니다. 저희는 흔치 않은 얼리어답터 커플이었다고요.

"

나는 단 한가지 책임만 아는데,
그것은 사랑하는것이다.

-A. 카뮈

"

김*연님 (3226)의 사연

처음 연락하게 된 건 재작년 겨울이었어요. 전 그 당시 이별로 인해 일상생활까지 불가능한 상황이었죠. 사람 만나는 게 무섭고, 심지어는 더이상 누구에게도 마음을 주고 싶지 않았는데 어쩌다 보니 즐톡을 깔게 됐어요. 즐톡에서 좋은 사람을 만났다며 친구가 추천해주었거든요. '그래 직접 만나는 것도 아닌데 한번 해보자' 라는 마음으로 깔게 됐죠. 그러다가 눈에 띄는 사람을 발견했어요 그게 지금 제 남친이에요. 제가 올린 토크를 보고 연락을 주더라고요. 어디에 사는지, 뭘 좋아하는지, 이 어플을 왜 깔게 됐는지 등등 많은 이야기를 나누었어요. 그러다 연락처를 교환하게 됐고, 바다에 가고 싶다는 제 말을 듣자 마자 나오라고 하더라고요. 추진력 있는 모습이 좋아 보였어요. 그렇게 떠난 바다에서 전남친 얘기를 했었죠. 전남친 이야기를 하며 울고 있는 저에게 대뜸 명품이 비싼 이유가 무엇인 것 같냐고 묻더라고요. 명품은 한정판일 때도 있고, 가끔은 전 세계에 딱 한 개만 만들어서 나오기도 한다고 하더라고요. 그리고 그런 명품들이 더 값비싸게 여겨지고 가치가 높다고 말했어요. 그만큼 저도 세상에 단 한 명 밖에 없으니까 소중한 거라며 사랑을 주는 법도 받는 법도 모르는 사람한테 저 스스로를 뺏기지 말라고 말해주더라고요. 그 말에 반해서 지금까지 만나고 있어요. 결혼 생각도 하고 있고요. 처음엔 어플로 시작된 사랑이라 남들이 비웃을까 겁났지만, 예쁘게 잘 만나는 모습에 다른 친구들도 응원해줬어요.

즐톡은 저에게 어떤 것으로도 살 수 없는 값진 사람을 선물해줬어요. 항상 감사합니다. 지금 남친은 제 옆에 있는데요. 이정도면 저희가 즐톡에 기부해야 되는 거 아니냐고 하네요. 다른 분들도 힘든 순간 의지할 사람이 옆에 없다면 즐톡에서 찾아보는 것도 추천해요!

"

사랑은 결정이 아니다. 사랑은 감정이다.
누구를 사랑할지 결정할 수 있다면 훨씬 더
간단하겠지만 마법처럼 느껴지지는 않을 것이다.

－트레이파커

"

김*진님 (5418)의 사연

처음에는 그냥 다른 사람들과 다름없었어요. 딱히 특별할 것 없는 사람이라고 생각했죠. 그런데 시간이 지나고 많은 이야기를 나누게 되면서 점점 더 특별하게 느껴지는 사람이었습니다. 저는 소위 말하는 엄친아 스타일은 아니에요. 외모도 평범하고 키와 몸매도, 옷 입는 센스도 모두 평범하거든요. 평범한 대학을 나와 평범한 직장에 다니며 살아가던 저에게 즐톡이라는 어플이 없었다면 지금의 여자친구는 못 만났을 거라는 생각을 자주 합니다. 그래서 참 감사합니다.

제가 보통의 사람이듯 여자친구도 보통의 사람이에요. 저희는 보통의 커플이죠. 하지만 저희는 보통의 평범함을 사랑해요. 언젠가 여자친구에게 "나는 정말 평범한 것 같아"라는 말을 한 적이 있습니다. 여자친구는 이렇게 대답했어요. "가장 어려운 걸 하고 있는 사람이네" 라고요. 그 한마디에 여자친구의 깊은 생각과 따뜻한 마음씨가 느껴졌고, '아, 이 사람이구나' 라는 생각이 들어 연애를 제안했습니다. 실은 여러 번 거절당했어요. 하지만 저는 마음을 접지 않았습니다. 제가 이 사람의 진가를 늦게 알아챘듯, 이 사람도 아직 저의 진가를 알아채지 못했을 뿐이라는 믿음으로 계속해서 진정성을 보여주었죠. 열 번 찍어 안 넘어가는 나무 없다고들 하잖아요. 그 속담은 저희의 만남을 관통하는 문장인 것 같아요. 그 사람이 결국 마음을 열어주었거든요. 지금은 알콩달콩 연애하며 평범한 보통의 하루에 감사하는 하루하루를 살아가고 있습니다.

내일도 모레도 평범하고 무탈하게 흘러가길 바라면서요.

삶이란 사랑하는 법을 배우기 위해
주어진 얼마간의 자유 시간이다.

―아베 피에르

"

백*훈님 (3640)의 사연

춘천에서 홀로 서기를 시작한 저에게 가장 힘든 것은 동네 친구가 없다는 것이었습니다. 퇴근 후에 번개로 만나 편의점에서 맥주 한 캔 함께할 수 있는 동네 친구가 있으면 좋겠다고 항상 생각해왔거든요. 그래서 친구를 만들고 싶다는 생각으로 즐톡을 이용했습니다.

처음에는 만나게 되는 것 까지는 기대하지 않았고 춘천의 맛집이나 주말에 놀러갈만한 곳 등 낯선 타지 생활에 대한 도움을 얻기 위한 대화를 많이 했어요. 그런데 우연히 포켓몬을 좋아하는 분과 대화를 나누게 되었죠. 저도 그때 한참 포켓몬고에 빠져 있었거든요. 그분이 저에게 춘천에는 희귀한 포켓몬이 나오는 성지(!)가 있다며 소개해주었고 저희는 만나서 함께 포켓몬 사냥(!)을 가기로 했습니다. 그런데 만나서 대화를 나누다 보니 좋아하는 음식이라던지 캐릭터, 또는 생활 습관 같은 것들이 정말 많이 겹치더라고요. 그래서 일주일에 한 번은 항상 함께 사냥을 떠났던 것 같아요. 그러다 보니 자연스럽게 춘천은 물론이고 강원도 일대를 모두 여행하게 되었죠. 아름다운 여행지를 구경하며 맛있는 음식과 함께 취미 생활을 함께하는 사이, 어느 누가 사랑에 빠지지 않을 수 있을까요. 이제 국내에서 만날 수 있는 포켓몬은 거의 다 만났거든요? 그래서 이제는 해외 원정을 떠나볼까 고민하고 있어요! 즐톡에는 다양한 사연을 가진 분들이 계실 거라 생각합니다. 그렇지만 저희 같은 포켓몬 트레이너 커플은 없을 것 같다는 생각으로 사연을 남겨요. 저녁에 맥주 한 캔 함께하는 것은 물론이고 취미 생활까지 즐길 수 있는 소중한 사람을 만나게 해주심에 감사할 따름이네요.

오래도록 좋은 품질과 서비스로 번창하시기를 바라겠습니다.

"

진정한 사랑은 그 사람을 통해
나 자신도 사랑한다.

- 칼 구츠코

> "

강*용님 (6873)의 사연

벌써 몇 년이 흘렀네요.그때를 회상하자니 갑자기 가슴이 두근거리는 것 같습니다. 2015년도에 2대2 미팅 엇비슷한 만남을 가졌어요. 친구가 즐톡을 통해 어떤 여자분과 약속을 잡았는데, 둘이서 만나기에는 조금 어색할 것 같다며 각자 한 명씩 데려오기로 했다는 거죠. 아내도 같은 입장이었고요. 낯을 많이 가리는 편이라 나갈지 말지 많이 망설였지만 높은 텐션의 두 여자분 덕분에 저희는 꽤 즐거운 저녁 시간을 보냈습니다. 그래서인지 2대2 미팅에서 두 커플이나 탄생했었죠! 정작 소개팅 주선자였던 두 친구는 6개월 정도 사귀다 헤어졌지만, 들러리로 나왔던 저희는 결혼까지 골인했답니다.

^^ 오프 더 레코드를 말해보자면, 사실 저는 아내에게 호감이 있긴 했지만 이런 일회성적인 만남이 계속해서 이어지는 것이 가능할지에 대한 걱정이 있어 머뭇거리고 있던 참이었습니다. 그런 저의 마음을 알아채고 적극적으로 호감을 표현해준 아내에게 여전히 고마움을 느끼고 있어요. 이런 것을 보면 정말 인연이라는 것이 있긴 있나 봐요! 지금 제 옆에는 벌써 여덟 살인 딸아이가 쌕쌕거리며 잠들어 있네요. 또한 내년에는 새로운 한 생명이 태어날 예정이고요.

이렇게 오순도순 행복한 가정으로 살아갈 수 있음에 감격스럽습니다. 이제 저는 아내의, 그리고 두 아이의 든든한 버팀목이 되어줄 수 있도록 더 열심히 살아가려 해요. 눈에 넣어도 아프지 않을 이 사람들의 가장으로 살아갈 수 있어 오늘도 행복한 밤입니다.

오늘은 아내에게 사랑한다고 말해야겠어요.

"

서로를 용서하는 것이야말로
가장 아름다운 사랑의 모습이다.

-존 셰필드

"

손*희님 (7443)의 사연

21년도, 즐톡에서 시작된 우리의 이야기는 우연의 연속이었습니다. 동네친구를 찾던 저에게 "제 이름으로 삼행시 해주세요"라는 뜬금없는 내용의 메시지가 왔고, 완벽한 삼행시를 만들어내고야 말겠다는 이상한 승부욕을 발휘했거든요. 단순한 호기심으로 시작된 대화는 저희를 점점 더 가깝게 이끌었어요. 처음 만날 날, 설레는 마음으로 그녀를 기다렸던 장소가 아직도 선명하게 기억나네요. 만나는 순간, 저는 마음이 끌리는 것을 강하게 느꼈어요. 그리고 그 끌림은 시간이 흘러도 사라지지 않고 더해만 갔죠. 두 번, 세 번의 만남이 지난 후, 저희는 서로에게 더 많은 호감을 갖게 되었어요. 서로에게 가까워지고, 이야기를 나누며 우리의 앞날에 대해 이야기하기 시작했습니다. 사소한 것부터 큰 꿈까지, 이야기는 점점 더 다채롭고 풍요로워졌죠. 그렇게 저희의 관계는 연인으로 발전했습니다. 이제 저희는 결혼을 앞두고 준비를 하고 있어요. 결혼 준비 기간에는 싸우지 않을 수 없다는데, 아직까지는 단 한 번의 싸움 없이 순탄하게 모든 것이 흘러가고 있습니다.

혹시 이건 저희가 결혼해서도 싸우지 않고 행복하게 잘 살아갈 것이라는 예고편일까요?! 즐톡을 통해 이렇게 아름다운 인연을 만났음에 감사하다는 말을 전하고자 이렇게 사연을 남깁니다. 이렇게 소중한 사람을 만날 수 있었던 것은 즐톡이 만들어준 우연과 선택, 그리고 그 선택을 가능케 해준 각자의 용기 덕분이니까요. 이 인연을 얻게 된 것에 감사하며, 앞으로의 우리가 함께할 행복한 미래를 기대하고 있습니다.

그럼 즐톡 이행시로 마무리할게요! [즐]즐톡의 존재 이유를 [톡]톡히 누릴 수 있도록 앞으로도 더 번창하세요!

"

이별의 아픔 속에서만
사랑의 깊이를 알게된다.

- 조지 엘리엇

"

이*영님 (2569)의 사연

2016년의 추운 겨울, 12월 29일!

그날은 저희의 이야기가 시작된 날이에요. 즐톡을 통해 우연히 만나 서로의 이야기를 시작했고, 그때부터 지금까지 변함없는 진실한 마음으로 서로를 이해하며 살아가고 있습니다. 사실 남자친구는 저를 처음 만나자 마자 저와 사귀게 될 걸 알았대요. 아니, 이 사람과 사귀어야 한다! 라는 생각이 강하게 들었대요. 평소 꿈에 그리던 이상형이었던 것도 아닌데 왜 그런 생각을 한 것인지 아직도 그 말을 100% 이해하지는 못했지만, 뭐 운명 같았다는 뜻 아닐까요?! 그때만해도 저는 온라인으로 누군가를 만난다는 것 자체에 반감이 있었던 사람인지라, 쉽게 마음을 열면 쉬워 보이지 않을까 하는 괜한 걱정이 있었어요. 그래서 처음에는 호감을 숨기려고 노력했는데, 술김에 실수로 남자친구의 볼에 냅다 뽀뽀를 해버렸어요. 이후에는 이제 마음을 숨길 필요가 없어졌다는 생각에 그냥 편하게 표현했던 것 같아요. 남자친구도 그런 저를 귀엽게 봐주었고요.

어느덧 7-8년이란 긴 세월이 흘렀네요. 그때의 풋풋함은 이제 없지만, 그 시간 동안 서로를 위해 노력하고 이해하며 함께 성장해온 것 같습니다. 서로에게 격려가 되고, 서로의 지지자가 되어주었다는 것이 무엇보다 소중하다고 생각해요. 함께한 시간은 그저 지나간 것이 아니라, 많은 것을 배웠으니까요. 앞으로도 저희는 서로의 좋은 점을 많이 닮아갈 거예요. 그러다 보면 저희는 각자 시간이 갈수록 더 멋진 사람이 되어있을 거라고 믿어 의심치 않습니다.

다음에 더 멋진 커플의 사연을 또 남기러 올게요!

”

말로 하는 사랑은 외면할 수 있으나 행동으로
보여주는 사랑은 저항할 수 없다.

-무니햄

> 〝

김*민님 (0397)의 사연

밥 친구하자는 글을 올렸던 것이 어느덧 5년째네요. 처음 만나 어색하게 밥을 먹고, 두번째 만났을 때에는 술을 마셨죠. 그렇게 이것저것 먹으러 다니다가 남자친구가 되어버린 케이스입니다! 밥 정이라는 게 진짜 무섭다더니 그런가 봐요. 저희는 사귀게 된 날 있었던 에피소드가 진짜 웃겨요. 제가 길 가다 새똥을 맞았거든요!!! 처음 겪는 일이라 당황스러워 하고 있는 제 손목을 덥석 잡고 근처 식당에 들어가 화장실을 사용해도 되냐며 양해를 구하더라고요. "괜찮아? 새똥 맞는 거 운 좋은 거래! 좋은 일이 생기려나?" 라며 혹여나 제 기분이 상했을까 계속해서 긍정적인 말을 건네주면서요. 그리고 세면대에서 맨손으로 새똥을 털고 씻겨주었습니다. 새똥을 맞는다는 일이 흔하게 있는 일은 아니잖아요. 남자친구도 분명 처음 겪는 일이었을 텐데 침착하게 해결하는 모습을 보았을 때 조금 반했던 것 같아요. 애써 세팅해 놓은 머리가 망가져 속상해하고 있는 저에게 계속 예쁘다며 분위기를 전환시켜주는 모습도 멋졌고요. 그래서 그냥 지금이다 싶어서 고백해버렸어요! 새똥을 맞으면 좋은 일이 있는 거라고 했잖아요. 오늘이 우리의 시작이면 그것보다 좋은 일은 없겠다 싶었거든요. 그러자 남자친구가 1초도 망설이지 않고 힘차게 고개를 끄덕이더라고요. 그렇게 저희는 밥 친구에서 맛집 투어 커플로 전향했답니다. 함께하는 시간은 점점 소중하게 느껴졌고, 서로에게 힘이 되는 존재가 되었죠. 새똥 사건 외에도 재미있는 에피소드가 정말 많아서, 저희의 러브 스토리는 시트콤으로 만들어도 될 것 같다는 생각을 많이 해요.

함께하는 모든 순간이 특별한 이 만남이 영원히 끝나지 않았으면 좋겠어요 사랑은 마음의 즐거운 특권이다.
사랑은 모든 살아 있는 것의 이유이다.

-P.J 베일리

66

김*진님 (5193)의 사연

올해 여름 연애를 시작한 풋풋한 커플입니다. 처음 대면했을 때 새하얀 피부에 마른
체형의 남자친구는 제 눈에 차지 않았어요. 저는 항상 구릿빛 피부의 근육질인
남자만 만나왔거든요. 그래도 대화가 잘 통하는지라 매일 연락만 하며 오빠 동생
사이로 지내던 중, 저에게 정말 중요한 날이 찾아왔어요. 그 구릿빛 피부의 근육질
전 남친 중 한 명이 결혼 소식을 알린 거예요! 저와 만날 때 항상 속만 썩이다
결국 바람을 피우더니 그 바람 상대와 결혼한다고 하더라고요. 정말 속상하고
화나는 마음에 분노를 토해내는 저에게 오빠가 재미난 제안을 했습니다. 함께
결혼식에 가자고요! 세상에서 가장 행복 해야 할 결혼식에 나타나 복수하자는
거였죠. 처음에는 거절했어요.이미 끝난 마당에 굳이 시간과 에너지를 쓰고 싶지
않았으니까요. 하지만 생각해보니 묘한 희열이 느껴지더라고요. 왜냐면 오빠는 제
스타일과 거리가 멀었을 뿐 실제로 모델 활동도 하고 있는 꽃미남이거든요. 데리고
가면 든든하겠다는 생각이 들었죠. 그래서 제안을 수락했어요. 또 한편으로는
한때 사랑했던 사람의 결혼을 축하해주는 것도 인생에 없을 경험이 아닐까 싶은
마음도 들었고요. 그렇게 결혼식장에 들어서는 순간, 떨리는 제 손을 오빠가
꼭 잡아주었는데 그 온기가 정말 따뜻했습니다. 여자가 들 수 있는 가장 좋은
명품백은 잘생긴 남자라더니 그 기분이 뭔지 알 것 같은 순간이었어요. 게다가
그날 마주한 전 남친의 얼굴이 너무 못생겨 보이더라고요! 제 옆에 있는 이 남자
때문인지, 아니면 드디어 콩깍지가 완전히 벗겨진 건지… 그날 이후로 저는 바람난
전 남친으로부터 얻은 상처를 완전히 씻어낼 수 있었던 것 같아요. 결혼식을 나와
오빠와 함께 칵테일을 마시러 갔는데, 오빠가 고백을 해왔어요.

일일 남자친구가 아니라 매일 남자친구로서 저와 함께하고 싶다나 뭐라나.
그날 이후 저희는 여전히 예쁘게 잘 만나고 있습니다. 이제 누군가 제 이상형을
물어본다면 구릿빛 피부의 근육질 남자가 아니라 오빠 그 자체를 묘사할 거예요!

> 99

날말 하나가 삶의 모든 무게와 고통에서
우리를 해방시킨다. 그 말은 사랑이다.

-소포클레스

66

이*민님 (9340)의 사연

시작은 심심함이었어요. 무언가 재미있는 것이 없을지 앱스토어만 뒤적거리던 중 즐톡을 발견했죠. 채팅 어플은 처음이라 조금 망설였지만 꽤 재미있더라고요! 처음에는 잘 모르는 사람과 대화를 나눈다는 점이 재미있었는데, 채팅을 하다 보니 이 사람이 더 궁금해지고 알고 싶어졌어요. (대부분의 즐톡 이용자들이 이러한 감정을 겪겠죠?) 그래서 만나기로 했죠. 저희 동네로 초대해 조용한 술집에서 간단하게 술 한잔을 하며 번호를 교환했어요. 그러다 뭐 자연스럽게 연인이 된거죠. 저희가 연애를 시작하게 된 과정은 사실 남들과 크게 다를 바 없지만, 중요한 것은 제가 인생에서 가장 행복한 시기를 보내고 있다는 거예요.

음, 제가 이 사람으로 인해 얼마나 행복해졌는지 물으신다면 저에게는 사실 비밀 아닌 비밀이 있어요. 예전에 교통 사고가 크게 났었는데, 뇌출혈이 있었거든요? 뇌출혈로 인해 생긴 불편한 증상이 여러가지 있었지만 가장 고민이었던 증상은 바로 생리를 안 한다는 것이었어요. 생리를 한다는 건 참 불편하고 힘든 일이지만, 때로는 생리를 통해 내 건강 상태를 체크하기도 하잖아요. 저에게 무생리 증상은 너무나 속상한 일이었습니다. 그런데 이 사람을 만나서 저의 마음이 치유된 것인지 생리도 시작하게 되었습니다.

결혼을 전제로 만난지 오늘로 벌써 601일째네요. 몸도 마음도 건강한 커플로 오래오래 행복할 수 있도록 응원해주세요!

"

내 것을 마구 퍼주어도 아깝지 않습니까?
하나도 아깝지 않으면 사랑입니다.

-혜민스님

＂

장*현님 (1658)의 사연

제가 전역한지 얼마 안 되었을 때였어요. 복학 후 달라진 학교 생활에 적응하기 힘들어 누구라도 만나서 위로 받고 싶어 즐톡을 시작했죠. 그때 와이프를 처음 만났습니다. 거리가 그리 멀지 않았던 저희는 만나서 이야기를 나누기로 했어요. 당시 직장인이었던 와이프는 제 눈에 멋지고 화려한 사회인으로 보였습니다. 그렇게 저녁을 먹고 가볍게 맥주 한잔을 마시던 중 갑자기 비가 엄청나게 쏟아지더라고요. 예상하지 못한 폭우에 저희는 의도치 않게 처음 만난 날 외박을 하게 되었습니다. 처음 만난 사람과 조용한 호텔방 침대에 걸터 앉아있으니 정말 어색하더라고요. 어떤 말을 꺼내야 할지 서로 진땀만 흘리고 있던 와중 눈이 마주치자마자 저도 모르게 빵 터져버렸습니다. 이후 어색함을 해소하기 위해 술도 마시고, 각자의 프라이빗한 비밀 이야기까지 많이 주고받았던 것 같아요. 이미 어엿한 사회인인 그녀가 한낱 복학생일 뿐인 저의 마음을 받아줄지 확신은 없었지만 솔직하게 마음을 고백했습니다. 진지하게 만나보고 싶다고요.

나중에 들어보니 와이프는 제가 가진 것이 있는지 없는지는 전혀 고려하지 않았다며, 남자 답게 직진하는 모습이 좋았다고 하네요. 제가 살면서 가장 잘한 일은 아마 그때 와이프에게 용기 내어 고백한 행동인 것 같아요. 그렇게 인연이 닿은 저희는 2년 연애 끝에 소중한 딸이 생겨 결혼을 하게 되었습니다. 결과론적으로 생각해보면 저희는 하늘이 만들어준 가족인 것 같아요.

그날 비가 오지 않았더라면 저희는 지금 어떤 모습을 하고 누구와 함께 살아가고 있을지 상상이 가지 않으니까요.

사랑한다는 것은
자기를 초월하는 것이다.

-O.F 와일드

66

고생을 함께하면 빠르게 정든다는 것 아시죠?

그 말이 저희를 표현하는 가장 좋은 문장인 것 같아요. 저희는 지난 여름 즐톡에서 산행 파트너로 만났어요. 지금도 날씨가 좋은 토요일이면 함께 산으로 떠나고요. 처음 산행을 나서던 날 햇볕이 강하다며 자신의 그림자 뒤만 따라오라던 그의 목소리가 아직도 생각납니다. 큰 키로 앞장서 걷는 뒷모습을 따라 오르는 동안 햇볕이 그리 강한지도 모르고 걸었어요. 정상에 올랐을 때 자외선에 얼굴이 빨갛게 익어 있는 모습에 고마우면서도 미안했어요. 그 순간 은연중에 이 사람은 믿고 의지할 수 있는 사람이라는 생각도 들었던 것 같아요. 고마운 마음을 전하고 싶어 다음 산행 때 제 것과 똑같은 썬캡을 선물했는데, 커플 아이템이냐며 웃더라고요. 의도치 않게 첫 번째 커플 아이템이 되어버린 썬캡은 매번 산행 때마다 쓰고 있어요. 그렇게 밀어주고 끌어주며 정든 저희는 머지 않아 10년 후를 약속한 사이가 되었습니다. 요즘은 하루하루 20대의 마음가짐으로 연애하기 위해 아침마다 운동을 하며 통화 시간을 보내요. 사랑에도 만남에도 가장 중요한 것은 체력이니까요! 내년의 목표는 한라산의 사계절을 보는 것입니다.

봄, 여름, 가을, 겨울 각기 다른 매력의 한라산을 오르다 보면 이 사람의 사계절도 볼 수 있을 거라는 설렘을 안고 있답니다! 이외에도 매일의 일과를 공유하며 즐거운 나날을 지내고 있습니다. 청춘을 만끽하고 있어요.

저에게도 새로운 사랑이 찾아올 수 있다는 것을 깨닫게 해준 즐톡! 인연을 찾고 싶은 모든 사람들에게 권하고 싶은 어플입니다.

”

사랑은 지배하는 것이 아니라
자유를 주는 것이다.

-에리히 프롬

박*비님 (0343)의 사연

첫만남은 정말 정말 어색했어요. 둘 다 낯을 가리는 성격 탓에 애꿎은 커피만 들이켰죠. 괜히 만난 것은 아닌가 후회가 들쯤, 남친이 뜬금없이 맞고를 칠 줄 아냐고 묻는 거예요! 맞고는 어렸을 때 친척 어른들이 치는 것을 어깨너머로 배운 것이 전부여서 잘 모른다고 대답했어요. 그러자 가방에서 주섬주섬 고스톱을 꺼내더라고요. 그 모습이 얼마나 웃겼던지 5분은 숨이 넘어가게 웃었던 것 같아요. 그 자리에서 모든 패를 펼치고 맞고 강의를 시작하더라고요!!! 엉뚱한 점이 매력이라는 것을 그때 처음 알게 되었죠. 그런데 사실 저도 맞고에 문외한인 사람은 아니었던지라 생각보다 패가 잘 붙더라고요. 저의 완승이었어요. 소원을 말하라기에 치킨을 사달라고 말했고, 근처 호프집에서 치킨을 먹었어요.

사실 남친은 제가 마음에 들었대요. 저를 재미있게 해주고 싶은데 말주변이 없으니, 재미있는 맞고라도 같이 쳐야겠다고 생각한 거더라고요. 그날 이후 남친은 적극적으로 대시하기 시작했고 저는 몇 번 거절했어요. 저는 제가 낯을 가리는지라 조금 더 사교적인 사람을 만나고 싶었거든요. 그러나 남친이 끈질기게 쫓아다니는 모습을 보고 '이 사람은 참 한결같은 사람이구나'라는 생각에 만남을 결심했습니다. 남친은 지금도 가끔씩 처음 만난 날 이야기를 하곤 합니다. 뜬금없이 고스톱을 치자고 하는 이상한 남자를 선택해줘서 고맙다고 늘 말합니다.

앞으로도 지금처럼 이쁜 사랑 쭈욱 이어갈 수 있도록 응원해주세요. 이 모든 것은 즐톡 덕분입니다.

검쟁이는 사랑을 드러낼 능력이 없다.
사랑은 용기 있는 자의 특권이다.

-마하트라 간디

권*린님 (7221)의 사연

2015년 추운 겨울이었습니다. 남편은 그 당시 연락하고 지내던 사람이 있었는데, 썸녀와의 고민이 있다며 그 고민을 털어놓을 사람을 찾고 있었어요. 평소 친구들의 고민을 들어주는 것을 재미있어 하던 저는 심심하던 차에 잘 되었다는 생각으로 쪽지를 보냈습니다. 만나기로 약속한 곳으로 나왔는데, 아뿔싸! 추운 겨울에 갈 곳이 마땅치 않더라고요. 그래서 어쩔 수 없이 남친네 아파트 계단에 앉아서 고민을 들어주었어요. 그런데 남친이 정말 순애보더라고요! 오히려 썸녀쪽에서 남친의 마음을 가지고 놀고 있다는 생각이 들만큼요. 저는 왜 이렇게 착한 남자를 못만날까 하는 아쉽기도 했어요. 그러다 너무 추운 나머지 팔짱을 끼기도 하고, 립밤까지 발라주며 점점 묘한 분위기가 형성되었어요. 그렇게 고민을 들어주다 보니 오히려 서로에 대해 더 깊숙히 아는 사이가 되어버린 거죠. 아무래도 제가 먼저 호감을 가졌던 것 같아요. 이 사람이 내 남자였으면 좋겠다는 생각에 표현을 아끼지 않았습니다. 그 친구는 그 당시 군인 상병 신분이었고 저는 평범한 학생이었는데요. 휴가 나오면 만나자고 새끼 손가락을 걸어 약속하기도 했고요. 한 번은 장문의 편지와 함께 제 사진을 잔뜩 넣어서 부대로 보낸 적이 있는데, 생활관에서 난리가 났다는 이야기도 들었네요.

그때 한참 보고싶다는 말을 질리도록 많이 했는데, 지금은 보고싶다는 말보다 사랑한다는 표현이 익숙한 부부가 되어 4살짜리 아이를 키우며 살고 있어요. 남편은 지금 요리를 하고 있네요. 저는 남편이 해주는 된장찌개를 가장 좋아하는데요! 앞으로 평생 남편이 만들어주는 된장찌개를 먹으며 행복하게 살고 싶어요!

성공적인 결혼을 위해서는 똑같은 사람과
여러 번 사랑에 빠져야 한다.

-미뇽 맥래플린

66

최*경님 (8255)의 사연

모두가 그렇겠지만 연말이 다가오는 12월은 왠지 모르게 더 외로움을 느끼는 시기이잖아요? 유난히 추웠던 12월, 저와 그녀는 즐톡을 통해 만났습니다. 저는 그녀의 밝은 미소가 담긴 사진과 프로필에 적혀 있는 흥미로운 취미에 끌려 좋아요를 눌렀고, 그녀 또한 저의 유머 감각과 배낭 여행 사진에 호감을 느꼈다고 합니다. 채팅은 끝나지 않았고, 긴 대화를 나누면서 서로에 대해 더 알게 되었습니다. 몇 주 동안의 대화 끝에, 저와 그녀는 첫 번째 데이트를 약속하게 되었습니다.

만남의 날, 우리는 긴장과 기대감을 안고 레스토랑에서 만났습니다. 이야기는 웃음으로 가득 찼고, 서로의 취향과 관심사가 비슷하다는 것에 놀라워했습니다. 앱을 통한 만남은 그저 남들의 이야기로만 느껴졌는데, 그 이야기가 저의 이야기가 되었다는 것이 너무나 신기했습니다. 즐톡은 가까운 이성과 편하게 이야기를 나눌 수 있어서 더욱 좋은 앱인 것 같습니다. 첫 데이트 후에도 만남은 계속되었고, 서로의 가족과 친구들을 소개하기 시작했습니다. 어느 날, 그녀가 저에게 "우리 함께 더 오래 시간을 보내지 않을래?"라고 물었고, 저는 기뻐서 "네!"라고 답했습니다. 결혼을 앞두고, 저는 로맨틱한 프로포즈를 계획했습니다. 아름다운 해변에서 촛불을 피워 다이아몬드 반지를 꺼내며 그녀에게 결혼 제안을 했고, 그녀는 눈물을 흘리며 동의했습니다.

즐톡 어플에서 만난 이야기가 결혼으로 이어진 것 자체가 정말 로맨틱하고 특별하게 느껴지는 순간이었습니다. 저희는 결혼한지 10년이 넘은 지금도 처음과 같은 설렘을 안고 살아가고 있습니다.

99

사랑의 첫 번째 의무는 상대방에
귀 기울이는 것이다.

-폴 틸리히

> ❝

강*윤님 (1112)의 사연

저는 힘들고 답답할 때 바다를 보러 갑니다. 수평선 너머까지 뻥 뚫린 푸른 바다를 보고 있으면 절로 위로가 되기 때문입니다. 햇볕에 반짝이는 모래알들도 정말 아름답고요.

그날은 회사에서 큰 실수를 저지른 날이었습니다. 하루 종일 죄송하다는 말만 했던 것 같네요. 나는 왜 이렇게 매일 부족한지, 왜 매일 실수 투성이인 것인지 자괴감이 밀려왔습니다. 그래서 누구라도 좋으니 저를 꼭 안아줬으면 좋겠다고 생각했어요. 그저 제 옆에 가만히 앉아 제 이야기를 들어주고 미소를 지어주었으면 좋겠다는 생각을 했습니다. 그런 갑갑한 마음으로 즐톡에 들어가 사람들과 이런 저런 이야기를 나누었는데, 그중 한 사람과 계속해서 쪽지를 주고 받게 되었습니다. 그때는 제가 마음이 여유롭지 못할 때라 다정하게 굴지 못하고, "같이 바다에 갈 사람 아니면 쪽지 하지 말아주세요." 라고 말해버렸던 것이 생각나네요. 그분은 너그럽게 저를 보듬어주며 드라이브를 제안해주었습니다. 처음 만나 이야기를 나누었을 때는 제 스스로도 놀랄 만큼 솔직한 감정을 다 토로하게 되더라고요. 저를 잘 모르는 사람 앞에서 가장 솔직해지는 이상한 경험을 했던 것 같아요. 처음에는 일회성적인 만남일 것으로 생각했습니다. 채팅으로 만나 해피 엔딩으로 끝나는 커플이 과연 몇이나 있을까 싶었으니까요. 그런데 막상 대화를 나누다 보니 제 슬픔과 연민을 가장 잘 이해해주는 사람이라는 것을 깨달았고, 조심스럽게 연애를 시작했습니다. 저를 잘 모르는 사람이어서 솔직했던 것인데, 어쩌다 보니 이제는 저를 가장 잘 아는 사람이어서 솔직할 수 있는 사이가 되었네요. 저희는 지금까지도 알콩달콩 잘 사귀고 있고, 얼마 전부터는 한 지붕 아래에 살고 있습니다!

"

죽음보다 더 강한 것은
이성이 아니라 사랑이다.

-토마스 만

❝

김*현님 (7890)의 사연

5년 전 처음 알게 된 그 사람과는 꽤 오랜 시간 동안 쪽지를 주고받았어요. 보통 소개팅을 하면 일단 빠르게 만날 날짜를 잡고 첫 데이트 날 외에는 연락하지 않는 편이라 조금 더 특별하게 느껴졌습니다. 얼굴을 모르는 사람과 나누는 대화는 꽤 재미있어요. 가까운 사람에게도 하지 않던 깊은 고민도 이야기하게 되는 마법 같은 경험이었습니다. 하지만 언제까지나 연락만 하며 지낼 수는 없는 노릇이니 조금씩 날짜를 맞춰보았죠. 서로 워라밸이 보장되지 않는 직종에 있는지라 날짜를 조율할 때 조금 애를 먹었지만 딱 하루 맞는 날이 있었어요. 만나기로 한 장소는 유동 인구가 워낙 많은 곳이라, 혹시 인파 속에서 서로를 알아보지 못하면 어떡하나 걱정하는 저에게 여자친구가 했던 말이 아직도 기억이 나요. 그럴 일은 없다며, 아마 자신을 한눈에 알아볼 수 있을 거라고 자신만만했거든요. 아마 그 사람들 속에 자기가 제일 예쁠 거라며 장난도 쳤고요. ^^

대망의 그날! 약속한 장소에서 두리번거리며 그녀를 찾고 있었는데, 저 멀리서 빨간색 목도리를 한 여자가 걸어오는 모습이 눈에 들어왔어요. 흑백 영화처럼 칙칙한 회색 도시에서 단 한 사람만 컬러 영화로 보이는 기적을 경험했던 것 같네요. 역시나 빨간색 목도리를 한 그 여성분이 저와 오랜 시간 대화를 나누었던 그분이 맞더라고요. 저희는 즐겁게 대화를 나누며 근처 레스토랑에서 맛있는 식사를 함께했습니다. 연락을 주고받는 동안 워낙 많은 비밀 이야기를 나누었던지라 내적인 친밀감이 많이 쌓인 것 같았어요.

그날 이후 저희는 자연스럽게 가까워졌고 지금은 애틋한 연인이 되어 서로를 아껴주고 있어요.

아무리 큰 공간일지라도 설사 그것이 하늘과 땅
사이라 할지라도 사랑의 힘으로 메꿀 수 있다.

-괴테

"

최*욱님 (3372)의 사연

저희는 40대입니다. 모인 사연 중 불혹을 거친 스토리도 있을지 궁금하네요. 열정적이었던 청춘의 시기는 지났지만, 다른 형태의 청춘을 보내고 있는 저희의 사연을 보내 봅니다. 처음에는 주변에서 편하게 한잔하기 위해 만났습니다. 이 만남을 통해 반드시 어떠한 연을 맺겠다는 그런 목적 같은 것은 전혀 없었어요. 서로 같은 생각으로 만난 저희는 부담 없이 편하게 이야기를 나눌 수 있었습니다. 근래에 가졌던 술자리 중 가장 즐겁고 편안한 시간이었던 것 같아요. 해산하기 전, 이 분이 보낸 시간도 좋게 기억되기를 바라는 마음으로 집까지 에스코트를 해드리겠다고 제안했어요. 그런데 여성분들은 보통 처음 본 남성에게 집을 알려주는 것을 많이 경계한다는 이야기를 전해 들어, 혹시 괜찮으시다면 집 근처 큰 건물 까지만 데려다 주고 싶다고 조심스럽게 말씀을 드렸던 것이 기억납니다. 그런데 그 말이 굉장히 섬세하고 다정하게 느껴졌다고 하더라고요. 제가 건넨 호의를 당연시 여기지 않고 알아채 준 것에 저 또한 고마움을 느꼈습니다. 지금은 가까운 오빠 동생 사이로 좋은 관계를 유지하며 인연을 만들어 나가고 있습니다. 함께 쌓은 추억은 물론이고 앞으로 쌓아갈 추억들이 너무나 기대되는 건강한 인연입니다. 누군가는 저희 나이에 시작되는 인연이 너무나 늦었다고 생각할 수도 있습니다. 그러나 40년이 넘는 세월을 살아오며 얻은 불변의 가치는 '가장 중요한 것은 타이밍'이라는 것입니다.

열정만으로 살아갔던 20대와 치열하게 경쟁했던 30대를 지나 비교적 안정적인 시기에 만난 것에 오히려 감사하고 있거든요.

좋은 시기에 좋은 사람을 만났으니 좋은 인연이 될 것 같습니다.

사랑에는 한 가지 법칙 밖에 없다.
그것은 사랑하는 사람을
행복하게 만드는 것이다.

66

저희는 3년전 즐톡을 통해 만나게 된 커플입니다. 처음에는 동네 친구를 만들 목적으로 대화를 나누었는데, 대화를 하다 보니 관심사도 비슷한데다 살아온 환경이나 성격에도 공통점이 많다는 것을 알게 되었습니다. 그래서 얼굴을 보며 대화를 나눠도 괜찮겠다고 생각했어요. 특히 만날 장소를 정할 때 좋아하는 음식이나 못 먹는 음식에 대한 이야기를 나누었을 때가 기억나네요. 제가 딱히 편식을 하지 않는데 유일하게 못 먹는 음식이 회거든요? 여태 만났던 남자친구들은 모두 회를 좋아해서, 제가 회를 못 먹는다는 사실에 다들 불만이 많았거든요. 그런데 이 사람도 유일하게 회만 못 먹는다고 말을 할 때 운명 같다는 느낌도 조금 들었어요. 지난 연인들이 그 부분으로 불만이 많았다는 이야기에도 공감하더라고요. 게다가 만나서 대화를 하면 할수록 이 사람이다! 라는 생각이 들었습니다. 저는 원래 저와 닮은 사람을 좋아하기 때문이에요. 비슷한 점이 많으면 서로를 이해하는 데에 그리 큰 노력과 에너지가 들지 않아서 좋다는 생각을 많이 합니다. 그렇게 저희는 연락처를 교환하고 매일 카톡과 전화를 주고받다 연인으로 발전하였습니다.

지금은 결혼까지 약속한 사이가 되었네요. 요즘은 성격뿐만 아니라 겉모습까지 닮아간다는 이야기도 많이 들어요. 사랑하면 닮는다더니 저희를 두고 하는 말이 아닐까요?

소중한 인연을 만나게 되어 즐톡에는 항상 감사한 마음을 가지고 있는데, 이번에 무려 이벤트까지 당첨된다면 너무 행복할 것 같아요.

사랑은 봄에 피는 꽃과 같다. 온갖 것에
희망을 품게 하고 훈훈한 향내를 풍기게 한다.
때문에 사랑은 향기조차도 없는
메마른 오막살이집일지라도 희망을 품게 하고
향내를 풍기게 한다.

－플로베르

"

김*열님 (0168)의 사연

23년 6월 13일, 즐톡에서 산행 파트너로 처음 만나, 지금은 미래를 같이할 연인으로서 아름다운 사랑을 하고 있지요. 중간중간 헤어질 뻔한 순간도 있었지만 비온 뒤 땅이 굳듯 서로를 더 이해하게 되었고, 지금은 뗄 수 없는 껌딱지가 되었지요.

즐톡을 시작한 그날, 우리는 운명처럼 만나 저녁 식사를 하고 차를 한잔하면서 서로의 이야기를 듣는 시간을 가졌습니다. 대화가 오갈 때 마다 묘한 감정이 생기기 시작했지요. 왠지 잘될 것 같은 느낌? 4일뒤 주말에 산행을 같이 하기로 약속하고 헤어졌습니다. 드디어 기다리던 첫 산행날짜가 다가왔을 때 너무 설레고 기대됐습니다. 경남 창녕에 있는 관룡산은 많이 알려지지는 않았지만 뛰어난 암벽과 절경은 어느 산에 빠지지 않는 아주 훌륭한 신의 한수라고 생각합니다. 좋은 곳에 함께 와주어 감사하다고 말했어요. 산을 오르면서 사진도 찍고, 준비한 간식도 먹으면서 둘만의 행복의 시간을 보냈습니다. 한참을 올라 정상에서 따뜻한 커피를 마시며 도란도란 이야기 꽃을 피웠네요. 적당한 휴식 뒤 하산하여 근처 식당에서 점심 식사를 하고 그녀가 사는 합천까지 왔습니다. 합천의 한 커피숍에서 시원한 커피 한잔을 하고 다음 산행에 대한 일정을 맞춘 뒤 헤어졌네요. 그해 여름 산행에서 시작된 우리의 만남은 매주 일요일마다 함께 산을 오르자는 약속을 꼬박꼬박 지키며 지속되고 있습니다. 이제는 하루도 영상통화를 하지 않으면 안되는 그런 관계가 되었네요.

주말에는 산에서, 평일에는 잠시도 전화기를 손에서 놓지 않으며 사랑을 키워가고 있어요. 오늘로 163일째네요. 바라볼 때마다 사랑스럽고 예쁜 사람입니다. 이 사람과 함께 만들어가고 있는 행복과 사랑이 영원하도록 응원해 주세요.

"

진정한 사랑은 영원히 자신을
성장 시키는 경험이다.

-M. 스캇펙

김*진님 (3640)의 사연

처음에는 여느 때와 같이 그저 스쳐 지나가는 인연일줄로만 알았습니다. 카페에서 만난 저희는 어색한 기류와 함께 형식상의 무미건조한 말만 되풀이하고 헤어졌죠. 첫번째 만남 때는 서로가 낯을 가리다 헤어진 점이 아쉬웠기 때문에, 이후에는 술의 힘을 빌리고자 술집에서 만나기로 했습니다. 둘 다 술을 좋아한다는 공통점이 있기도 했거든요. 그렇게 그녀가 좋아하는 고깃집에 도착한 후 고기를 구우며 술을 한잔 곁들이니 분위기가 점차 무르익어갔습니다. 여러 얘기를 나누면서 서로에 대해 많이 알아갔죠. 서로의 첫인상에 대한 이야기, 오늘은 어떤 생각으로 나왔는지 등에 관해서요. 그렇게 즐거운 시간을 보내고 또 데이트를 하자고 말했습니다. 그렇게 데이트를 신청한 뒤 꾸준하게 계속 연락했죠. 그리고 약속한 데이트날에는 그녀를 만날 생각에 미리 미용실에 가서 머리부터 단정하게 정돈했습니다. 평소 향수를 뿌리지 않던 제가 향수도 뿌리고 있는 모습을 발견할 수 있었죠. 영화관 앞에서 그녀를 기다리고 있던 중 그녀를 발견하자마자 발그레 웃던 제 모습이 아직도 기억이 나네요. 그녀와 영화를 보고 난 뒤 가볍게 밥을 먹고 술집으로 갔습니다. 두 사람 모두 꽤나 화통한 성격이라, 서로를 마음에 들어 하고 있다는 것은 분위기만 보더라도 알 수 있었습니다. 저는 그 시원시원한 성격이 너무 마음에 들었죠. 분위기가 무르익을 때쯤 단도직입적으로 그녀에게 얘기했습니다. 마음에 든다고, 사귀자고요. 그러니 그녀도 좋다고 하더군요 솔직히 이렇게 빠르게 사귈지는 몰랐지만 그녀를 더 오래 깊은 관계로 볼 수 있다는 것에 행복했습니다. 그렇게 저희는 연인관계가 되었습니다.

길다면 긴 시간, 짧다면 짧은 시간 함께 할 수 있음에 늘 감사해요.

내가 이해하는 모든것은
내가 사랑하기 때문에 이해한다.

-레프 톨스토이

> 66

유*혜님 (5659)의 사연

첫 만남은 2017년이었어요. 즐톡에 결혼을 전제로 연애를 하고 싶다는 내용의
글을 올렸었거든요. 그때 연락이 닿은 남편과 좋은 인연을 맺어 알콩달콩 연애하다
2023년 6월 25일 웨딩 마치를 올리게 되었어요. 당시 글을 올리면서도 좋은
사람을 만날 수 있을지 확신이 들지 않았는데, 이렇게 결혼까지 하게 되다니 정말
행복합니다. 이제 남편은 저에게는 없어서는 안 될 남자가 되었어요. 이런 사람이
저에게도 생기다니 정말 꿈만 같네요. 요즘에는 예전과 달리 만남의 경로가 정말
다양하잖아요. 어떤 곳에서 누구를 만나 소중한 것들을 공유할지에 대한 고민은
누구나 한 번쯤 품어 보았던 고민이라고 생각합니다. 경험자로서 말해보자면,
즐톡에는 분명 나쁜 의도를 가지고 있는 분들이나 나와는 잘 맞지 않는 사람도
있다고 생각합니다. 그러나 그와 반대로, 좋은 분들도 많은 것 같다는 거예요!
인연은 어디에나 있어요. 생각보다 가까이 있을 수도 있고 혹은 멀리 있어서 아직은
만나지 못한 것일 수도 있죠. 그러나 제가 강조하고 싶은 것은 그 인연을 찾고
쟁취해 발전시키는 것은 오롯이 개인의 노력이라는 거예요.

저는 당시 즐톡을 통해 남편을 만난 것을 단 한순간도 후회한 적이 없습니다.
조금 독특한 경로로 만났다고 해서 저희를 손가락질하거나 비난하는 시선을 받을
때면 저는 당당하게 말해요. "그래서 어쩌라고?!" 라고요! 결국 중요한 것은
행복이잖아요.

저는 저의 노력을 통해 얻은 이 행복이 너무나 소중합니다. 여러분도 한번 도전해
보세요!

"

사랑이란 서로 마주 보는 것이 아니라
둘이서 똑같은 방향을 내다보는 것이라고
인생은 우리에게 가르쳐 주었다.

–생텍쥐페리

66

저는 프로 혼밥러입니다. 혼밥을 하며 드라마나 예능을 보는 것을 좋아해요. 김밥천국처럼 혼밥에 특화된 식당은 물론이고 고깃집, 레스토랑, 횟집 등의 식당도 개의치 않는 편입니다. 그런데 그날은 유독 혼밥을 하기가 싫더라고요. 누군가와 눈을 맞추고 대화를 나누며 맛있는 음식을 먹고 싶다는 생각에 간절했어요. 그래서 즐톡을 찾았죠. 스크롤을 내리던 중 동갑인 여자분이 눈에 띄었어요. 동갑이니 편하게 이야기를 나눌 수 있겠다는 생각에 먼저 연락을 취해습니다. 혹시 식사 전이시라면 제가 사드리겠다고요! 그랬더니 그분이 기꺼이 좋고 하시더라고요. 그분이 초밥을 먹고 싶다고 하셨었는데, 만나기로 한 장소 근처에 아무리 찾아도 일식집이 없더라고요. 그래서 어쩔 수 없이 쿠우쿠우에 갔죠. 그곳에서 초밥을 마음껏 먹으며 이런저런 이야기를 나누어 보니 말도 잘 통하는데다 돌싱이라는 공통점을 발견할 수 있었습니다. 돌싱은 그 자체로 잘못된 것이 아니지만, 그래도 새로운 사람을 만날 때에는 아무래도 조심스러운 마음이 들기 마련입니다. 반면에 저희는 같은 경험이 있다는 것 만으로도 빠르게 가까워질 수 있었어요. 돌싱이라는 공통점이 있다는 것이 한편으로는 고마울 정도로요. 그렇게 자연스럽게 사귀는 사이가 되었고 지금까지도 예쁘게 잘 만나고 있습니다.

요즘은 여자친구와 함께 종종 즐톡 어플을 둘러보며 눈팅을 하는데요. 그곳에서는 여전히 많은 사람들이 인연을 찾고, 맺으며 활발히 활동하고 있더라고요. 앞으로도 많이 번창했으면 합니다.

"

이 사랑의 꽃봉오리는 여름날 바람에 마냥
부풀었다가, 다음 만날 때에는 예쁘게 꽃 필 거예요.

－윌리엄 셰익스피어

##

> "

김*주님 (3454)의 사연

즐톡에는 죄다 이상한 목적만 가지고 쪽지를 보내는 사람들이 대다수라고 생각했어요. 그래서 오히려 경계심이 생기더라고요. 채팅을 할 때에도 상대방을 그냥 이해하고 받아들이기 보다 저도 모르게 날카로운 시선으로 검증하려고 하기도 했고요. 그런데 지금 만나고 있는 남친은 수상쩍음이 하나도 없었어요. 꽤 오랜 시간 동안 이런저런 채팅을 했는데도 불구하고 마음에 걸리는 부분이 없었던 거죠. 그래서 의심을 눈초리를 거두고 실제로 만나기로 했었죠. 그런데 이야기를 나누다 보니 이분의 회사가 제 회사와 굉장히 가까운 역에 위치한 거예요! 점심 시간에 주로 가는 식당도 같았고요. 그래서 혹시나 하는 마음으로 재직중인 회사명을 여쭈었더니 같은 곳에 근무중인 직장 동료라는 사실을 알게 되었습니다.

즐톡에 있는 수많은 사람들 중에서 직장 동료와 채팅을 했다니요! 이런 게 운명인가? 라는 생각이 들 정도로 세상이 좁다고 느껴졌어요. 그날 저희는 퇴근 후 회사 근처의 조용한 이자까야에서 만나 인사를 나눈 후 친하게 지내다 결국 이렇게 연인 사이가 되어있네요. 사내 연애는 제 인생에 없는 단어라고만 생각했는데, 이런 식으로 시작하게 되다니 기분이 묘해요. 아직 사내에 저희의 관계를 알고 있는 분들은 몇 안계시지만, 조만간 있을 회식 자리에서 조심스럽게 공개해볼까 싶습니다. 이 사람과는 왠지 결혼까지 가게 될 것 같거든요. 같은 회사에 다니면서도 이어지기 힘들었는데, 즐톡을 통해 특별한 사이가 되었다는 것이 정말 신기해요. 즐톡이 아니었다면 저희는 지금쯤 각자 어떤 삶을 살고 있었을까요?

좋은 사람을 만나 사랑을 찾을 수 있도록 기회를 주신 즐톡 관계자 여러분께 이 기회를 빌려 감사하다는 인사를 전해봅니다!

위대한 사랑이 있는 곳엔
언제나 기적이 있다.

-윌라 캐더

"

이*연님 (4568)의 사연

오래된 얘기네요. 2012년 8월에 처음 만났으니까요.

전역한지 한달이 채 되지 않았을 때라 더 외로운 상태였는데, 즐톡을 통해 어떤 한 사람을 만나게 되어 사귀게 되었죠. 저희는 나이 차이도 어느 정도 있는데다 온라인에서 만났다는 사실 때문에 그 당시에는 어디에서도 당당하지 못했어요. 하지만 저에게 온 소중한 인연을 막을 이유가 되지는 않았습니다. 첫사랑은 아닐지 언정 마지막 사랑이 되었으면 한다는 믿음으로 10년을 사귀고 2022년 6월 11일 결혼하게 되었어요. 온라인에서 사람을 만난다는 게 어쩌면 위험하기도 하고, 망설여지는 건 사실이라고 생각합니다. 그 사람이 어떤 사람인지 보장해줄 지인도 없고 나쁜 목적을 가지고 다가오는 사람일 가능성도 배제하기 힘드니까요. 그러나 저는 운 좋게도 좋은 사람을 만나게 되었네요. 온라인에서 누군가를 만나 10년이 넘는 시간 동안 인연을 이어온 경험자로서 말하자면, 어디서 만나고 어떤 목적으로 만났는지가 절대적으로 중요한 것은 아닌 것 같아요. 이 세상 누구보다 특별하고 행복하게 해주고 싶다는 마음, 그리고 그 마음을 행동으로 실천하는 것이 제일 중요한 것 같습니다.

지금은 시대가 많이 변했기에 온라인에서 사람을 만나는 것에 대한 인식도 긍정적인 방향으로 변화했지만 여전히 부정적인 시선도 한편에 존재한다고 생각해요. 그러한 문제로 인해 시도하는 것조차 망설이는 분이 있다면 이렇게 긍정적인 사례도 있다는 것을 알려주고 싶어요. 온라인에서 만났을지라도 후회 없는 만남이 있다는 것을요.

"

누군가에게 깊이 사랑받는 것은 힘이 되고,
누군가를 깊이 사랑하면 용기가 생깁니다.

- 노자

"

이*민님 (2338)의 사연

그녀를 처음 만나기로 한 날, 5층에 위치한 어느 식당을 예약했었습니다. 엘리베이터를 타고 올라가던 중 함께 탑승한 여성분께 자꾸만 시선이 가더라고요. 그래서 은연중에 '이 분이 약속 상대라면 정말 좋겠다.' 라는 생각을 하며 식당으로 들어가는데 그분이 예약자 성명으로 제 이름을 말하는 거예요! 깜짝 놀라 그 자리에서 주저앉을 뻔했어요. 그때 느꼈죠. 아, 이 사람과 나는 결혼하게 될 것 같다! 라는 걸요. 그날 그녀가 입었던 셔츠와 바지, 그리고 구두는 물론이고 향수까지 정확하게 기억하고 있어요. 그만큼 제 삶에서 잊을 수 없는 소중한 날이니까요. 그녀에게도 이 날이 특별한 날이었으면 좋겠다는 마음으로 잠시 화장실에 가는 척하며 근처 꽃집에서 작은 꽃을 사왔습니다. 그런데 꽃집 사장님께서 소원 부적을 두 장 챙겨 주시더라고요. 그래서 그분과 한 장씩 나누어 가지며, 소원이 이루어지면 그 소원이 무엇이었는지 서로 이야기해주기로 약속했어요. 저는 평소 소원을 잘 빌지 않는 편입니다. 가능한 것들은 노력으로 기회를 쟁취할 수 있다고 믿기 때문입니다. 시험에 합격하게 해달라거나, 다이어트에 성공하게 해달라는 것 같은 진부한 바램은 사실 소원을 비는 것이 의미가 없다고 생각합니다. 자격을 얻고 싶다면 능력을 키우면 되고, 의지를 갖고 싶다면 독한 마음을 먹으면 됩니다. 그렇지만 인력으로도 안 되는 것들이 세상에 존재하지 않습니까. 제 소원은 누군가의 마음을 얻는 것이었습니다. 그래서 이번에는 무슨 소원을 빌었냐면, 저와 소원 부적을 나눠가진 사람과 연인이 되었으면 좋겠다고 빌었습니다. 그리고 그 소원이 이루어진지 벌써 1000일이 지났네요.

제가 이런 낭만적인 소원일 빌 수 있게 도움을 주신 꽃집 사장님과 즐톡, 그리고 1000일째 저만을 바라봐주는 여자친구에게 감사한 밤입니다.

"

용감하다는 것은 어떤 대가도 기대하지 않고
무조건 사랑하는 것이다.

-마돈나

66

저희는 의심 많은 커플입니다. 밤새 대화를 나누고도 익명인 상태의 서로를 믿지 못하고 약속이 세번이나 깨졌거든요. 그런데 예상했던 것보다 훨씬 대화가 잘 통하는 거예요! 그래서 만나기 전 서로를 안심시켜주기 위해 신분증 사진과 직장 사진 등 몇 번의 인증을 거듭하여 거친 뒤 식사를 하게 되었습니다. 그러나 문제는 그때가 코로나 팬데믹 상황이었다는 거예요. 가려고 생각해두었던 식당에 확진자가 다녀간 터라 방역 후에야 오픈할 수 있다는 연락을 받았던 거죠. 그래서 근처 바닷가를 산책하며 처음 얼굴을 마주하게 되었습니다. 처음 만난 장소가 해변이라니 지금 생각해도 로맨틱하네요. 저는 그날 남자친구에게 첫 눈에 반했습니다. 그런데 남자친구도 첫 눈에 반했다고 하더라고요. 첫 눈에 반한다는 일이 흔한 일이 아닌데 서로 반하다니, 저희는 서로를 운명이라고 생각했어요! 여행을 좋아한다는 공통점이 있다는 것도 좋았어요. 그래서 국내 여행은 물론 해외 여행까지 엄청나게 다양한 경험을 함께했습니다. 저는 항상 집돌이와의 연애만 해왔기 때문에, 남자친구와 떠나는 하루하루가 특별하고 행복했어요.

얼마 전에는 새생명이 찾아왔다는 기쁜 소식을 듣고 급하게 결혼을 준비하고 있네요. 인연은 때와 장소를 가리지 않는다고 생각합니다. 그리고 망설이지 않고 도전하는 자세가 있는 자만이 소중한 것을 쟁취할 수 있다는 것을 배웠어요. 만약 끝없는 의심으로 인해 결국 만나지 못했더라면 저희의 사랑은 물론, 곧 태어날 아기도 없었을테니까요.

이 삶에서 단 하나의 행복은 사랑하고
사랑받는 것이다.

－조르주 상드

66

문*영님 (8813)의 사연

저희의 사랑은 2023년 4월 말에 시작되었어요. 전주에서 나고 자란 저는 우연히
연고 없는 목포에 직장을 구하게 되었어요. 아는 사람이 한 명도 없는 곳에서 살아
남는 일이란 즉 외로움과 싸워 이겨야 하는 거잖아요. 그 외로운 전투에서 저의
손을 잡아준 어플이 곧 즐톡이랍니다! 남자친구는 목포 인근의 남악이라는 곳에
사는 사람이라고 했어요. 본가는 광주이지만 직장 때문에 멀리 이사를 와서 외로운
생활을 하고 있다는 이야기를 들었을 때부터 묘한 공감대가 형성되더라고요.
처음에는 쪽지로, 조금 시간이 지난 후에는 카톡으로, 그러다 용기를 내어 전화
통화를 했는데 예상치 못한 중저음의 동굴 목소리가 들려서 문득 설레기도
했어요. 처음에는 부담 없는 친구처럼 편한 마음으로 연락하며 지냈는데, 일주일
넘게 매일 대화를 나누다 보니 서로 자연스럽게 호감을 느끼게 되었던 것 같아요.
매일 연락만 주고받던 나날이 지나고 대망의 5월 5일, 어린이 날! 목포의 어느
바다에서 첫 만남을 가진 후 사랑을 약속한 사이가 되었죠! 분명 여름이 시작되기
전이었는데, 벌써 눈 내리는 겨울이 되었네요. 지금은 제가 잠시 전주에 돌아온
탓에 장거리 연애를 하고 있는데요! 곧 따뜻한 봄이 오면 함께 속초에 여행가기로
약속했습니다. 이렇게 잘 맞고 대화도 잘 통하는 멋진 연하 남자친구를 만나게 해준
즐톡에게 감사할 따름입니다. 즐톡이 아니었다면 저는 아마 목포 어느 거리에서
눈물의 소주를 삼키고 있었을 거예요.

저희의 사랑을 응원해주세요!

미 소는 사랑의 시작이다.

-테레사 수녀

##

"

이*님 (8275)의 사연

사람들은 익명 앞에서 나쁜 일을 벌이곤 하잖아요. 제가 이 어플을 처음 접했을 때에는 나쁜 의도를 가진 사람들이 정말 많다고 생각했어요. 그래서 그냥 종종 재미로만 글을 올리곤 했는데, 숱한 거절에도 굴하지 않고 쪽지를 보내는 한 남자를 어찌어찌 만나게 되었죠. 띠동갑이라는 것을 알고 만났는데도 나이차이가 전혀 느껴지지 않는 동안이라 놀랐던 기억이 있네요. 저는 사실 18살 때 집을 나와 혼자 생활하던 중이었습니다. 21살 때 만난 그분은 지낼 곳을 마련해주겠다며 호의를 베풀었지만, 저는 여전히 색안경을 끼고 있었기 때문에 거리를 두고 있었죠. 그런데 한달, 두달, 세달 흐르는 시간 동안 같이 영화도 보고 밥도 먹으며 지내다 보니 자연스럽게 사귀는 사이가 되어 있었습니다. 저는 어려서부터 산전수전을 많이 겪은 편이라 사람을 잘 믿지 않는 편이에요. 그런데 '이 사람, 정말 나를 사랑하고 아껴주는구나' 라는 생각이 들면서 마음을 열게 되더라고요. 2년 정도 사귀었을 때 자연스럽게 지금의 시어머니께 인사를 드리게 되었고, 결혼 이야기가 오갔어요. 그러나 저희 집의 반대가 너무 심했죠. 집을 나온지 거의 5년만에 갑자기 찾아온 딸이 띠동갑 차이 나는 남자를 데려와 결혼하겠다고 하면 어느 부모가 좋아하겠어요. 하지만 실제로 이 사람을 만나 이야기를 나누어 보면 부모님의 생각도 바뀌실 것이라는 확신이 있었습니다. 엄마가 나중에 하는 말이 "후광이 비치더라" 하더라고요. 걱정이 많았던 아빠도 환하게 웃으며 반겨주셨고. 지금은 저보다 신랑을 더 좋아하시는 것 같아요. (저는 찬밥 신세죠) 어리고 풋풋한 21살에 즐톡을 통해 만난 저희가 지금은 제가 벌써 30대와 40대가 되었습니다. 이곳에서 나쁜 사람을 만난 분들도 많겠지만 저희 같이 부부가 된 사람도 있을 수 있겠다 싶어요!

즐톡에서 이루어지는 모든 인연들이 저희처럼 건강하고 행복한 관계를 이어갔으면 좋겠습니다!

사랑받기 때문에 사랑받는 것이다.
사랑에는 이유가 필요없다.

-파울로 코엘료

"

신*호님 (1892)의 사연

심심한 휴일에 즐톡 어플을 구경하던 중 술 한잔하자는 글을 보고 쪽지를
보냈습니다. 사실 정말로 만날 수 있을 것이라는 기대는 없었는데, 이런저런
이야기를 나누며 자연스럽게 만날 장소와 시간까지 정하게 되었죠. 그런데 참
이상했던 것은요. 처음 보는 사이인데도 오래 전부터 알고 지내던 사이처럼 편하게
느껴졌다는 거예요. 이런 게 인연이라는 걸까요? 조금 술이 취한 뒤에는 말실수로
저를 자꾸만 '자기' 라고 부르더라고요. 애교 섞인 모습이 참 귀엽게 느껴졌어요.
하지만 아무래도 나이 차이가 다소 나는 것이 마음에 걸렸어요. 순간의 감정에
동요하여 인연을 만드는 것이 옳을까 하는 망설임도 있었습니다. 하지만 술기운에
용기를 내어 냅다 들이댔더니 환하게 웃어주던 그녀의 얼굴이 아직도 선명하네요!
얼마 전 물어봤더니, 오히려 나이 많은 사람이 안정적이고 편안해서 더 좋았다고
하더라고요. 물론 사실이 아닐 수도 있지만, 나이가 많다는 이유로 조심스러워하는
저를 배려해주는 듯한 예쁜 말과 마음씨에 더 감동했던 것 같아요! 처음 만난 날의
설렘과 느낌을 그대로 간직하며 8개월이 지난 지금까지도 잘 만나고 있습니다.
세대 차이로 인한 다툼도 종종 있고, 심지어 중간에 한번은 헤어지기도 했지만
이제는 서로 하루도 안보면 안 되는 애틋한 사이가 되어버렸네요. 만남을 이어온
8개월 동안 보름 정도를 제외하고는 항상 곁에 있었던 것 같아요. 이 글을 쓰고
있는 지금도 옆에 누워 있거든요!

좋은 인연을 만들어주신 즐톡에게 감사합니다.

"

세상에서 가장 좋고 아름다운 것들은 볼 수도
만질 수도 없어요. 마음으로 느껴야만 하죠.

－헬렌켈러

‟

이*준님 (2528)의 사연

처음에는 정말 단순한 호기심이었어요. 대화 친구를 찾는다는 일본인의 글이었거든요. 외국인 친구를 사귈 수 있지 않을까 하는 기대감으로 쪽지를 보냈습니다. 어렸을 적 잠깐 일본어를 배우기는 했지만, 능통한 편은 아니었기 때문에 처음에는 번역기를 통해 대화를 주고받았어요. 저는 일본에 대해 궁금해하고 그분은 한국에 대해 궁금해했죠. 서로의 나라에 대한 이야기나 일상 얘기 등등 시시콜콜한 대화로 하루하루를 보내던 어느 날, 한국 여행을 준비하고 있다는 연락을 받았어요. 그리고는 저에게 여행 가이드를 요청하더라고요! 저 역시 직접 만나서 이야기를 나누고 싶다는 생각을 하고 있었기 때문에 흔쾌히 수락했습니다. 그렇게 2박 3일 동안 가이드를 하며 저희 지역 방방곡곡을 소개했어요. 멋진 풍경을 보러 가고, 맛있는 음식을 함께 먹으며 대화를 나누었죠. 사실 저에게 그 2박 3일은 거의 데이트나 다름없었어요. 처음 만났을 때에는 정말 서먹하고 어색해서 민망하기도 했지만, 한편으로는 불편함보다는 기분 좋은 설렘으로 느껴졌으니까요. 3일간의 달달한 데이트를 마친 후에 용기 내어 정식 연애를 제안했고, 종종 서로의 나라에 방문하며 만남을 이어 나갔어요. 비행기를 타고 가야만 만날 수 있는 거리에 사는 여자친구가 있다는 것은 그 문장만으로 저를 애틋하게 했습니다. 그 사람을 만나기로 한 날짜가 다가올수록 설레는 마음도 점점 커져갔고요. 그리고 지금은 결혼 1년차 부부가 되었습니다. 서로의 눈보다는 번역기를 더 많이 바라보며 더듬거리는 말투로 대화를 이어 나가던 시절을 뒤로하고, 유창한 표현으로 다투기도 하는 저희를 볼 때면 세월이 참 무색합니다. 수많은 사람들 중 제가 가이드를 하게 된 것은 지금 생각해도 운명이라고 생각이 들어요.

즐톡을 하면서 결혼할 인연을 찾게 될 것이라고는 정말 생각도 못했는데, 이런 소중한 인연을 만나게 해주셔서 너무나 감사드립니다.

"

사랑은 바람과 같다.
볼 순 없지만 느낄 수 있다.

-니콜라스 스파크스

"

오*진님 (1554)의 사연

즐톡에서 만난 멋진 남자친구를 소개하려 합니다! 비가 꽤 많이 오던 여름날이었어요. 혼자 떠났던 부산 여행에서 실수로 택시에 가방과 지갑을 두고 내렸지 뭐예요. 당시 시간은 새벽 3시인데다 비는 추적추적 쏟아지고, 아는 사람 하나 없는 타지에서 정말 당황스러웠어요. 막막한 마음에 멘붕이 와서 이러지도 저러지도 못하고 있던 상황에 떠오른 것이 즐톡이었죠. 자포자기한 심정으로 글을 올렸어요. 그런데 지금의 남자친구에게 연락이 왔던 거예요! 그때 남친의 첫 마디가 아직도 기억나요. "이상한 사람 아닙니다. 일단 상황 설명 좀 해주세요." 였어요. 그렇게 자초지종을 상세히 설명했고, 그런 저를 안타깝게 여긴 남친이 현금 3만원과 따뜻한 커피를 사서 제가 있는 곳 근처로 찾아왔습니다. 저는 그런 남자친구의 모습을 보고 첫눈에 반해서 졸졸 따라다녔고요. 지금까지도 잘 만나고 있어요! 이런 어플에는 이상한 사람만 가득할 줄 알았는데, 지금 남친같이 정상인(?)들도 있다는 것도 알게 되었죠! 사실 그때 잃어버린 가방과 지갑은 제가 평소에 엄청 아끼던 물건이었거든요? 택시에 두고 내렸다는 걸 알게 되었을 때는 제 스스로가 원망스러울 뿐이었는데, 지금 생각해보면 그런 일이 있지 않았다면 저와 남친의 인연도 없었을 것 같아요. 물론 어디선가 만날 수도 있었겠지만, 이렇게 영화 같은 만남은 없었을 거라 확신해요! 앞으로도 쭉 만나서 결혼까지 할 수 있다면 정말 좋을 것 같습니다.

"

사랑은 세상을 움직이는 것이 아니다.
사랑은 그 여정을 가치있게 만드는 것이다.